João Pessoa, 12/03/15

VOCÊ PODE FALAR COM DEUS

Pedro Siqueira

VOCÊ PODE FALAR COM DEUS

SEXTANTE

As passagens bíblicas deste livro foram retiradas da Edição Pastoral da Bíblia Sagrada, da editora Paulus.

preparo de originais: Gabriel Machado
revisão: Hermínia Totti e Midori Faria
diagramação: Adriana Moreno
capa: Rodrigo Rodrigues
foto de capa: Leo Aversa
impressão e acabamento: Lis Gráfica e Editora Ltda.

CIP-BRASIL. CATALOGAÇÃO NA PUBLICAÇÃO
SINDICATO NACIONAL DOS EDITORES DE LIVROS, RJ

S628v

Siqueira, Pedro
Você pode falar com Deus / Pedro Siqueira. Rio de Janeiro: Sextante, 2014.

144 p.; 14 x 21 cm
ISBN 978-85-431-0042-5

1. Vida cristã. 2. Oração - Cristianismo. 3. Devoções diárias. 4. Deus. I. Título.

14-09560 CDD: 248.4
CDU: 27-584

GMT Editores Ltda.
Rua Voluntários da Pátria, 45 – Gr. 1.404 – Botafogo
22270-000 – Rio de Janeiro – RJ
Tel.: (21) 2538-4100 – Fax: (21) 2286-9244
E-mail: atendimento@esextante.com.br
www.sextante.com.br

Para Natália e João Antônio,
meus amores.

Sumário

Prefácio

Antecipo às minhas palavras o meu profundo agradecimento ao Senhor, que suscita o espírito de oração na alma das pessoas que o buscam com sinceridade de coração. A oração simples, confiante, perseverante gera muitos frutos espirituais.

Expresso a minha gratidão a Deus por ter conhecido Pedro Siqueira, convidado para orientar a meditação dos mistérios do rosário da Santíssima Virgem Maria em João Pessoa em duas ocasiões. O amplo espaço da linda Igreja de Santa Júlia se tornou pequeno pelo enorme afluxo de pessoas que acorreram ao evento.

Pedro deixou Deus agir na sua vida e por isso aceitou fazer da sua vida um dom, totalmente entregue nas mãos do Senhor. Sua entrega ao Senhor se reflete no seu estilo de vida simples e humilde. Pedro deixa Deus agir e se coloca a serviço de muita gente como instrumento do Amor de Deus e de sua Providência.

Como a Pedro, o Senhor nos pede o desapego de nós mesmos, para mostrar que quem age é Ele. O desapego de si torna-se condição e credibilidade da presença e da ação do Senhor operando na vida das pessoas que o buscam de verdade.

As realidades sobrenaturais manifestadas nas sendas da oração conferem sentido à Vida revelada pelo Pai, manifestada no Filho, Jesus Cristo, no dom do seu Espírito.

Pude presenciar ao vivo as maravilhas que o Senhor opera na vida de Pedro. Os sentimentos de respeito e de profunda gratidão a Deus logo me tomaram por inteiro. A reação de espontânea alegria interior leva-me a afirmar: deixe o mistério de Deus acontecer. Deus sabe o que faz e distribui seus dons a quem quer, como quer e quando quer. Quando Deus quer, realiza a sua obra.

Servindo-se sempre da luz da Palavra de Deus, Pedro consegue transmitir serenidade e alegria às pessoas. Essa experiência mística vivida por ele exprime o espírito de oração e discernimento da vontade de Deus.

A verdadeira experiência mística nos leva ao encontro com Deus, na busca da sua santa vontade. Ao contrário, a falsa mística busca a si mesma e algum interesse particular.

A mística autêntica segue o itinerário da fé, orientada pelo Espírito, doador da Vida e dos dons. O itinerário a ser percorrido por etapas não é outro senão o seguimento a Jesus Cristo, Caminho, Verdade e Vida Plena, Bom Pastor, Ressurreição, Luz verdadeira que ilumina todo aquele que vem a este mundo.

Ao recitar os mistérios do rosário, Pedro os repassa à luz da Palavra de Deus, fonte original da divina Revelação. Esse é o segredo que nos leva a compreender os desígnios do Senhor sobre nossa vida e sobre a história a ser continuamente construída.

Esse método traz grande proveito espiritual, pois nos leva ao encontro com o Senhor e nos mantém atentos, livres da rotina, da mente dispersa e dos sentimentos alienados.

O leitor encontrará nos relatos deste livro várias cenas pitorescas, mescladas com a vivência da fé e dos dons sobrenaturais da esperança e da caridade.

Muita gente pergunta como é possível Pedro se comunicar de forma tão íntima com as realidades sobrenaturais. Como saber a respeito da autenticidade das aparições e das revelações particulares? A Igreja se coloca diante da fenomenologia sobrenatural, relacionando-a à orientação segura com a sã Doutrina e ao empenho evangelizador e pastoral.

Cabe aos pastores da Igreja o discernimento sobre manifestações sobrenaturais de natureza religiosa, trilhando a via da sabedoria, da prudência, da piedade. As ciências humanas podem ajudar a dizer algo a respeito, mas nunca será uma palavra decisiva.

Cabe ao Magistério da Igreja discernir a relação existente entre a fé e a razão, entre a Revelação normativa e a vivência da fé cristã expressa em algumas experiências de pessoas em particular. A Igreja pede aos que se fazem discípulos de Jesus Cristo aceitar os indicativos seguros sobre a autenticidade dos fenômenos sobrenaturais vinculados à experiência religiosa, evitando qualquer risco de mistificação.

Eventos extrassensoriais acontecem. Há inúmeros relatos de pessoas que os sentem ou os presenciam. Ninguém os pressupõe. Apenas o mistério acontece.

As ciências não pretendem afirmar, negar ou controlar esses fenômenos. No mundo real, há grande diversidade no modo como as pessoas percebem as realidades extrassensoriais. Há quem veja, ouça, perceba, através dos sentidos externos e internos. Essas pessoas apenas registram e descrevem fenômenos. As interpretações e os juízos de valor estão envoltos na complexidade do mistério da graça divina que permeia a nossa vida.

A Palavra de Deus narra os mistérios da fé e é entendida como fonte original da divina Revelação, manifestada na história da salvação. Há diversos relatos bíblicos do Antigo e do Novo Testamento referentes a visões, revelações, aparições, sonhos, intuições. Entanto a interpretação e, sobretudo, o julgamento deles apelam para a razão e a vontade, iluminadas pela fé.

Como emitir esse juízo de valor? Um juízo prudente evita tanto a ingenuidade e a crendice quanto o ceticismo e o deboche.

Qualquer interpretação sábia e cautelosa se atém à luz da Palavra de Deus e da Tradição da Santa Igreja. Esta, por sua vez, nos fala pelo fiel guardião do depósito da fé, o Magistério, incumbido de transmitir a Revelação, de forma a preservar incólume e indefectível a sã Doutrina, preservando-a de desvios peregrinos.

O fenômeno de natureza religiosa pode representar a manifestação da onipresença amorosa do Senhor, que nos chama a caminhar pelo processo da conversão pessoal ao Evangelho e do compromisso de fé cristã. A conversão e o compromisso cristão nos levam a assumir iniciativas, gestos, obras que nascem de uma fé viva.

Nesse sentido, as manifestações sobrenaturais de Nossa Senhora em Fátima e em Lourdes são de evidência exemplar, pois apelam para a oração e a conversão dos pecadores e do mundo. Esse é o anúncio primordial de Jesus: "O tempo já se cumpriu e o Reino de Deus está próximo. Convertam-se e acreditem na Boa Notícia" (Marcos 1, 15).

A verdadeira devoção à Virgem Maria Santíssima, Mãe de Deus e da Igreja, centraliza a Pessoa, a mensagem e a obra de salvação de Jesus Cristo!

Os dons e os carismas que o Espírito suscita na esfera da Comunhão dos Santos se ordenam ao bem da Igreja e da humanidade e devem ser colocados a serviço da comunhão eclesial, não fora dela ou contra ela.

Os dons e carismas dados aos fiéis servem de testemunhos de fé e comportamento moral cristão sadio. Não se confundem com propostas de novidades de caráter doutrinal e moral. A respeito disso, nada melhor do que ler atentamente as orientações dadas por São Paulo Apóstolo, em sua Primeira Carta aos Coríntios, capítulo 14.

O tratamento pastoral dado objetivamente ao fenômeno de revelações, aparições, visões, percepções, moções do espírito, locuções interiores, dons, carismas é o seguinte:

1. Ninguém está obrigado, em nome da fé, a dar crédito ou a comparar uma manifestação sensorial de uma pessoa em particular com o dom da divina Revelação. Esta se consubstancia na Doutrina Cristã, defendida, guardada e transmitida pelo Magistério da Igreja Católica. Assim, o Catecismo da Igreja Católica é para nós, cristãos católicos, a referência doutrinal exemplar.

2. O potencial evangelizador de manifestações particulares pode ajudar as pessoas a dar testemunho da fé e a fortalecer as obras de caridade que nascem da fé e que, por amor a Deus, nos levam a servir os nossos semelhantes, através das obras de misericórdia, espirituais e corporais.

3. Pelos frutos se conhece a árvore! As manifestações particulares levam as pessoas ao processo de conversão e de compromisso cristão. Jamais poderiam levar ao descrédito, à instrumentalização da fé banalizada por qualquer "espetacularização".

Recomendo vivamente aos leitores de Pedro Siqueira que sigam os passos por ele sugeridos, análogos a um roteiro de oração, para que o discípulo de Jesus, Nosso Senhor, deixe-se amar e trabalhar por Ele, na busca da sua presença, no cumprimento da sua vontade, na aceitação dos seus desígnios.

Que a Virgem Maria Mãe Santíssima, a intercessora universal de todas as graças, a quem Pedro Siqueira se dirige com enlevo filial, com veneração confiante e com ternura obediente, abençoe a todos na busca do aperfeiçoamento espiritual.

Que São José, padroeiro universal da Santa Igreja, nos leve a *sentire cum Ecclesia* [sentir com a Igreja] e a edificá-la para a maior glória de Deus e o bem das almas.

Que as miríades de anjos e de santos nos ensinem a amar e servir em tudo, firmes na fé, alegres na esperança e solícitos na caridade (conferir Romanos 12, 12).

In Iesu et Maria,

+ Aldo di Cillo Pagotto

+ ALDO DI CILLO PAGOTTO, SSS

Arcebispo Metropolitano da Paraíba

João Pessoa, 25 de janeiro de 2014

(festa litúrgica da conversão de São Paulo Apóstolo)

I

Introdução

Há muitos anos, conduzo um grupo de orações católico que tem por foco principal a devoção mariana do rosário. Durante as reuniões, com base em dons espirituais, transmito revelações do Espírito Santo, falo sobre as coisas que vejo no mundo espiritual e mensagens de Nossa Senhora, de alguns santos e anjos. Essa peculiaridade mística fez com que, com o passar do tempo, o número de participantes crescesse bastante, atraindo, inclusive, a curiosidade dos meios de comunicação.

Naturalmente, surgiram diversos questionamentos por parte dos fiéis, pois percebem que, nos momentos em que rezam o terço comigo, se inserem em uma atmosfera diferente de tudo que já experimentaram. Costumam me dizer que, ao sair dos nossos encontros, se sentem amados por Deus, com uma espécie de alívio no coração e na alma. É algo palpável, que podem sentir na pele.

Segundo os relatos, não se trata apenas de sensações físicas ou metafísicas: vários pedidos feitos nas reuniões são atendidos por Deus, relativos a curas, emprego, casamento, vida financeira, entre outros. Constantemente, sou bombardeado por perguntas: Como isso acontece? Por que é possível, naquele instante de fé, sentir uma paz, algo muito forte e envolvente? Seria viável que as pessoas, no dia a dia, tivessem acesso a tal força?

Os participantes começaram a reivindicar de mim uma fórmula para se atingir, nas mais diversas situações, esse estado de graça. Nos últimos anos, no Rio de Janeiro, em São Paulo, João Pessoa, Belém, Manaus e outras cidades onde conduzo encontros de oração do terço, tenho sido cobrado incisivamente a elaborar um livro que os auxilie no caminho espiritual.

Durante muito tempo, rejeitei essa tarefa. Havia colocado na cabeça que as pessoas poderiam encontrar por si mesmas caminhos para terem um canal com Deus, para lhe apresentar suas necessidades. Meu pensamento inicial era que as reuniões comandadas por mim iriam se somar às orações diárias de cada um e especialmente à Santa Missa e já seriam o suficiente para produzir um bom efeito nos corpos espirituais dos interessados. Todos teriam condições de enfrentar as batalhas diárias com vigor, pois estariam cultivando a semente da espiritualidade no coração de acordo com as próprias inspirações.

Além do mais, do meu ponto de vista, uma abordagem abrangente do mundo espiritual por meio de um livro levaria muito tempo para ser confeccionada e eu não gostaria de fazê-la de qualquer jeito. Uma obra como a que me pediam provavelmente seria volumosa demais, o que, tenho certeza, desencorajaria a maioria das pessoas a lerem. Essa, portanto, não me parecia ser a melhor solução.

Um dia, estava lendo um livro sobre o silêncio na oração e percebi que minha atitude não era positiva: não devia negar um texto sobre o ministério que exerço para o grande número de pessoas que, ao longo de tantos anos, vem acompanhando minha missão. Naquele momento mesmo, ao buscar auxílio para questões pessoais, me valia dos ensinamentos espirituais de alguém que tinha dedicado um bom tempo de sua vida para elaborar um escrito de qualidade.

Aliás, muitos têm por hábito, durante os momentos de dificuldade, se apoiar em bons livros. Autores como o monge do deserto Thomas Merton, o frade franciscano Raniero Cantalamessa, a madre Santa Teresa de Jesus e diversos outros foram fundamentais para confortar meu coração. Por que não fazer o mesmo por aqueles que me pediam ajuda?

Refletindo mais profundamente, concluí que, na verdade, não queria me expor mais do que já vinha fazendo no exercício do meu serviço espiritual. Havia, ainda, outro ponto importante: a falta de tempo para desenvolver um trabalho desses (escrever livros é uma tarefa que exige muito!).

Em 2008, fiz uma breve peregrinação com minha esposa ao santuário mariano de Fátima, em Portugal. Com o sol da manhã brilhando forte no belíssimo céu azul de primavera, iniciamos nossa oração em frente à capela da Cova da Iria, onde, a 13 de maio de 1917, Nossa Senhora do Rosário – hoje chamada pelo povo de Nossa Senhora de Fátima – apareceu a três crianças que pastoreavam um pequeno rebanho de ovelhas: Lúcia, Jacinta e Francisco. Apresentamos nossas intenções à Virgem Maria e partimos em direção ao bosque de Valinhos, em que a Mãe de Jesus fez uma de suas aparições. Lá, faríamos a Via-Sacra, meditando sobre a Paixão de Cristo.

Durante o trajeto de aproximadamente um quilômetro até o bosque, caminhávamos rezando os mistérios gozosos do rosário, que tratam da infância de Jesus. De repente, tive uma visão: Virgem Santíssima Maria apareceu acima de nossas cabeças vestindo azul-claro, cintilante como o sol. Fiquei surpreso por aquilo acontecer em uma estrada de terra batida, sem nenhum significado especial. Resolvi me calar e esperar para ver o que Ela queria comigo.

Direta e simples como sempre, Ela me disse que, após quinze anos de missão, estava na hora de eu escrever sobre as minhas experiências místicas, porque isso auxiliaria muitas pessoas que buscavam o caminho da espiritualidade. Dado o recado, desapareceu. Depois de alguns minutos, comentei o fato com minha mulher, que ficou muito preocupada.

– Nós já estamos tão expostos por causa de seus dons, não acho uma boa ideia você escrever sobre mística. Você vai chamar mais atenção e ser mais visado do que já é.

Entendendo muito bem o ponto de vista dela, acenei-lhe com a cabeça e garanti que pensaria com calma.

A discussão ficou adormecida até o ano seguinte, pois Nossa Senhora não me falou mais sobre relatar minhas visões. Eu, por outro lado, estava bastante desconfortável com a questão. No fundo, seria bem melhor permanecer no estágio em que me encontrava. Havia gente demais ao meu redor que me considerava um importante canal de comunicação com o mundo espiritual – algo que nunca fui nem serei!

Em 2009, minha avó materna quis dar um significativo presente de aniversário a mim e à minha esposa, já que comemoramos as datas com apenas três dias de diferença, e sugeriu uma viagem. Enquanto decidíamos aonde ir, frei Juan Antonio pediu que fôssemos encontrá-lo no santuário de Fátima. Ele é meu diretor espiritual, um frade agostiniano recoleto, espanhol naturalizado brasileiro (como gosta de dizer, paraense), e queria que fizéssemos juntos um retiro. Estava determinado nosso rumo.

Logo no primeiro dia, enquanto caminhávamos na mesma estrada de terra batida em direção ao bosque de Valinhos, para meditarmos a Via-Sacra, a Virgem Maria apareceu no céu diante de meus olhos, trajando amarelo e branco. Novamente, Ela insistiu no projeto dos livros.

Na hora, minhas feições devem ter se transformado, pois frei Juan Antonio percebeu algo de sobrenatural e me questionou:

– *Qué pasa, hombre?* O que estás vendo? É a Virgem?

Fiquei sem graça e respondi:

– Sim, frei, é Ela mesma.

– Mas deve estar querendo algo especial, porque sempre nos fala lá em cima, no bosque, diante de sua imagem... – provocou ele, curioso.

O lugar a que o frade se referia era o belo oratório do bosque que marca a aparição de Nossa Senhora do Rosário aos três pastorinhos em 19 de agosto de 1917. Como não queria lhe mencionar a questão dos livros, apenas sorri. Minha mulher me olhou profundamente, reprovando meu comportamento, à espera de que eu desse uma resposta clara ao sacerdote.

– Você não pode nos deixar no escuro. Se Deus nos mandou juntos aqui, para estarmos com Ele, precisa partilhar tudo o que se passa durante o nosso retiro – avisou frei Juan Antonio, com toda a razão.

Após mais alguns passos, resolvi contar:

– Ela quer que eu escreva a respeito das minhas experiências espirituais. Quer que eu fale sobre as coisas que tenho visto e ouvido, vindas do mundo espiritual.

– Vai ser excelente! – vibrou o frade, alegre. – Escreva sobre assuntos que possam edificar a vida das pessoas. Você respondeu "sim" ao chamado de Maria, não foi?

– Não, frei, não dei nenhuma resposta e Ela já se foi.

– Não pode ser assim, *hombre*! Que coisa! Ela tem nos dado tantos presentes, graças enormes em nossas vidas, e você tem a coragem de lhe recusar um pedido?

O frade estava visivelmente decepcionado. Minha mulher, silenciosa como de hábito, me olhava preocupada.

– Calma, *hombre*! Tenho bastante tempo para dar a resposta – retruquei. – Ela ainda vai aparecer lá no bosque, como sempre fez. Vou pensando até lá, tudo bem?

– Não! O chamado de Maria deve ser atendido no mesmo instante. Sempre! Mas vamos rezando para que Deus abra seu coração – disse o frade, contrariado.

Adentramos o bosque e, na terceira estação da Via-Sacra, meu anjo da guarda me apareceu segurando uma coleção de livros que brilhavam com uma luz verde, da mesma cor de sua túnica e de seus olhos e cabelos. Como todo ser angélico, ele tem um nome, mas não tenho permissão para mencioná-lo aqui. Assim, quando for citá-lo, nas próximas páginas, o chamarei de "I.". Telepaticamente, ele me disse:

– Cumpra sua missão. Isto que trago nas mãos faz parte dela. Tenha confiança e escreva da forma que melhor lhe aprouver, desde que seja fiel àquilo que você experimenta através de seus dons.

Preferi não dar nenhuma resposta. Ao final da Via-Sacra, contudo, me veio uma luz: poderia começar escrevendo um livro de ficção, pois não chamaria tanta atenção, e as pessoas ficariam na dúvida se o que eu narrava seria real ou fruto da minha imaginação (artifícios para amarrar uma boa história).

Se o escrito tivesse boa aceitação, poderia pensar em elaborar outros livros, de não ficção, abordando de forma direta temas do mundo espiritual. Eu começaria devagar, expondo um pouco da minha história e experiência nesse âmbito.

Ao final do retiro, diante da insistência do frei Juan Antonio, resolvi dizer sim à Virgem Maria, ao meu anjo da guarda e, consequentemente, a todas as pessoas que compunham, nas diversas cidades, meu grupo de oração do terço.

Voltei ao Brasil e continuei conduzindo o encontro do terço. A questão dos livros permaneceu em minha mente, como uma pequenina semente. Por algum tempo, não coloquei a mão na massa.

No segundo semestre de 2010, na saída de uma das reuniões, deparei com uma senhora, N., que já frequentava o grupo havia muito tempo.

– Pedro, sempre que venho aqui rezar, sinto uma força envolvendo todo o meu corpo, uma energia intensa. Meu peito e meu rosto esquentam. Isso é normal?

Respondi que sim, pois, quando estamos reunidos, se forma sobre nossa cabeça uma grande luz dourada, muito densa, que se espalha por todo o teto e paredes da igreja e desce sobre as pessoas que lá se encontram. Nessas horas, a presença do Espírito Santo é bem palpável.

N. continuou:

– Pois é... Outro dia estava rezando o terço sozinha, em casa, e senti a mesma coisa. Fiquei muito emocionada, até chorei! O problema é que não sei como fazer acontecer de novo. Gostaria muito que isso se repetisse, porque, na hora em que passo pela experiência com aquela força, sei que Deus está comigo. Preciso ter essa sensação outras vezes, me diga como!

Não tinha uma resposta satisfatória para dar àquela senhora. Expliquei que uma oração profunda dá um enorme trabalho e não poderia ser detalhada em poucos minutos, no pátio de uma igreja. N., então, sugeriu:

– Pedro, siga o exemplo dos que acumularam conhecimento sobre algum assunto espiritual e procuraram transmiti-lo aos outros. Compartilhe o que você sabe através de livros. Assim, muitas pessoas poderão ter acesso às suas explicações. Isso não seria bom? Deus não ficaria satisfeito com você?

Aquele discurso me despertou para o fato de que eu estava descumprindo o que tinha prometido à Maria Santíssima, a I. e ao frei Juan Antonio. Eu podia até ouvir a voz de barítono do frade: "E os livros? Já escreveu alguma coisa? Quero ler!"

Além disso, havia um fato curioso e triste que reforçava a ideia de um texto para levar as pessoas a uma vida de intimidade com Deus: muita gente que frequentava as reuniões só se dedicava à oração uma vez por mês, exatamente no dia do grupo do terço! Eles alegavam que era ali, na perceptível presença do Altíssimo, que se sentiam acolhidos e tinham segurança para entregar a Deus seus pedidos. Diante desse argumento, eu precisava tomar uma atitude.

Queria vê-los com a mesma confiança manifestada durante os encontros comigo. Desejava que, no dia a dia, eles pudessem sentir a presença e o amor do Criador. Um livro poderia servir de mola propulsora.

Levei em consideração também a situação dos que moram longe dos locais onde me reúno ou não têm como se locomover até eles. Através de meu perfil do Facebook, costumam me cobrar auxílio espiritual para os mais diversos casos, buscando formas de enfrentar seus problemas.

Em 2011, resolvi dar um basta na inércia e publiquei meu primeiro livro, mantendo firme a ideia de que fosse um romance. Como a aceitação foi boa, em dezembro de 2012 lancei outro de ficção. Então, começou a acontecer algo interessante: grande parte dos meus leitores, durante as tardes ou noites de autógrafos, passou a me cobrar uma obra sobre a minha vida, a prática da oração pessoal e, principalmente, os anjos!

Depois de refletir muito, cheguei à conclusão de que era hora de atender aos meus leitores por meio de um escrito simples, com a minha história e algumas experiências minhas e de outras pessoas no caminho da espiritualidade. Pensei ser importante também acrescentar algumas palavras sobre minha relação com a oração. Assim, configurou-se este livro.

Em meio a uma sessão de autógrafos em São Paulo, fui abordado por uma senhora engajada na Renovação Carismática Católica havia mais de quinze anos. Muito gentil, presenteou-me com um livro sobre a vida de uma beata mística e falou:

– Pedro, nós carismáticos, que temos uma caminhada longa e certa intimidade com os dons do Espírito Santo, gostaríamos que você dedicasse um livro aos temas místicos. Gostaríamos de algo que pudesse enriquecer nossa experiência.

Revelei a ela que já pensava nisso havia algum tempo e que buscava apresentar um texto que englobasse os interesses tanto dos neófitos no caminho espiritual quanto dos doutores no assunto. Apesar da dificuldade da empreitada, prometi me esforçar pela causa. Talvez este livro consiga cumprir esse papel – sem grandes pretensões, é claro! –, fornecendo subsídios para os que há tantos anos dialogam com o Pai Celestial.

Quanto aos que estão afastados de Deus, pode ser que esta leitura lhes traga algo de positivo. Terão em mãos um breve guia, que traz alguns princípios místicos, para refletirem sobre os mais diversos assuntos do cotidiano. Quem sabe esta obra poderá lhes dar um novo ânimo, para que iniciem um exercício espiritual.

Para ilustrar os princípios sobre os quais discorro, conto com exemplos verídicos, retirados da minha vida e da vida de pessoas com quem convivi nesses vinte anos do grupo do terço. A única providência que tomei foi não divulgar seus nomes, pois não acho de bom-tom expor a privacidade delas. Procurei citar, ainda, passagens bíblicas, para dar embasamento à teoria.

Procurei impor uma redação ágil ao texto, não permitindo que ficasse muito extenso, pois sei que muitas pessoas não gostam de se embrenhar em livros grossos. O resultado é uma obra de leitura rápida, para ser aberta em qualquer lugar ou ocasião. Suas páginas não tomam tempo demais e, assim, creio que possam incentivar uma vida de oração diária.

Este livro foi concebido para todos, independentemente de crença, raça, sexo ou idade. Minha intenção inicial é a de que as pessoas se aproximem cada vez mais de Deus. Sejam *amigas* de Deus! Que nosso Criador abençoe aqueles que colocarem em prática o conteúdo das páginas que se seguem com amor, perseverança, fé e gratidão!

Que as palavras do apóstolo de Cristo São Tiago em sua carta (capítulo 1, versículo 22) sirvam de guia para os leitores: "Sejam praticantes da Palavra, e não apenas ouvintes, iludindo a si mesmos."

II

Um pouco da minha caminhada

Muitas pessoas que vão tomar este livro nas mãos não me conhecem. Outras sabem de pequenas passagens da minha vida. Há, ainda, os que se interessaram pela minha espiritualidade por causa das entrevistas que concedi a diversos programas de televisão e rádio ou leram matérias a meu respeito em jornais, revistas e sites. Por fim, há os que rezam comigo o terço desde a década de 1990, quando decidi levar meu dom a público.

Nasci no dia 26 de agosto de 1971, em uma clínica na Gávea, zona sul do Rio de Janeiro, às 12h18. Era uma quinta-feira e o sol estava a pino, em meio ao céu límpido. Minha mãe, Dulce Maria, uma jovem de 25 anos que dava à luz o primeiro filho, decidiu colocar em mim o mesmo nome do marido.

Como apresentei vários problemas de saúde, minha avó materna, também Dulce, católica fervorosa, propôs à filha e ao genro que me batizassem o mais rápido possível, acreditando que a Providência pudesse trazer uma melhora ao meu quadro. Ela mesma tratou do assunto com o sacerdote de sua paróquia e o batismo aconteceu na Igreja de São Paulo Apóstolo, em Copacabana, mas não dei sinais de recuperação.

Desde meu nascimento, minha mãe notou que havia algo de diferente em mim. Quando bem pequeno, eu aceitava apenas o colo dos meus pais, de meus avós maternos e de minha babá. Não costumava sorrir para as pessoas que se aproximavam de mim: minha mãe reclamava que era muito difícil conseguir uma foto em que eu estivesse sorrindo de verdade. Gostava de brincar, mas lugares com muita gente não me agradavam.

Minha mãe conta que, com um mês de idade, tive um desmaio súbito e ela percebeu que eu estava sem pulsação. Ligou para meu pai, desesperada. Naquele momento, ele se encontrava em seu escritório, no centro da cidade do Rio de Janeiro, e ficou muito nervoso, pois sabia que, se fosse questão de vida ou morte, não chegaria a tempo ao apartamento. Insistiu que a esposa me levasse ao hospital o mais rápido possível.

Quem a auxiliou foi uma vizinha do prédio, Regina, que saiu em disparada conosco para o hospital. O médico de plantão, constatando a gravidade da situação, nos encaminhou ao local apropriado, onde tentaria me reanimar. O que se passou nos minutos seguintes é um mistério. Fui colocado em uma mesa para que a equipe médica realizasse os procedimentos indicados. Segundo minha mãe, de repente eu abri os olhos e comecei a chorar. Todos se entreolharam espantados.

Hoje, quando lhe perguntam sobre o acontecido, minha mãe costuma proclamar:

– Meu filho morreu nos meus braços e depois, sem nenhuma explicação racional, ressuscitou! Acho que Nossa Senhora fez questão de sua presença na Terra, para cumprir uma missão determinada por Ela!

As noites não eram fáceis no apartamento de meus pais, em Copacabana, pois eu via criaturas demoníacas que mexiam em meu berço. Ficava em pé, apoiado nas grades, e gritava pelos meus pais buscando socorro. Minha mãe vinha correndo e abria a porta em um rompante:

– O que está acontecendo? O que houve?

– Mãe, tá pegando fogo... – respondia, apontando em direção ao vazio.

Ela pensou que se tratava de uma espécie de "terror noturno", já que os estranhos acontecimentos se davam, em geral, na parte da noite, e apresentou a questão ao pediatra. Ele falou que tudo passaria após alguns meses, mas, infelizmente, não foi assim. Minhas visões nunca mais pararam...

Tenho lembrança de fatos inusitados quando tinha 5 anos e me recolhia ao quarto para dormir, sempre por volta das 20 horas. Minha mãe apagava a luz e fechava a porta. Em algumas noites, eu via o mundo espiritual se abrir e seus habitantes, na maioria das vezes, apenas ficavam parados, me olhando. Em determinadas ocasiões, eu identificava criaturas que não tinham traços humanos e me encolhia no canto da cama em posição fetal, com as costas contra a parede, monitorando seus movimentos. Alguma força maior, todavia, impedia que elas chegassem até mim.

Durante certas noites, logo que meus pais iam dormir, a porta do meu quarto se abria sozinha. Eu levantava a cabeça, mas meus olhos humanos não avistavam ninguém. Quando me deitava de novo, a porta se fechava automaticamente. Sentava-me na cama e a porta voltava a se abrir. Então, eu caminhava devagar para fora do quarto e examinava o corredor escuro. Não havia ninguém por perto.

Como minha mente não encontrava explicação plausível para o fenômeno, batia na porta do quarto dos meus pais.

– Por que você fica abrindo e fechando a porta do meu quarto? – indagava à minha mãe.

Sem saber o que responder e mal disfarçando seu medo, ela retrucava:

– Volta para o quarto e vai dormir, menino. Não tem ninguém mexendo na sua porta! Aliás, quero que ela fique fechada, entendeu?

Claro que eu entendia, mas manter a porta do quarto fechada era algo fora do meu alcance. Só me restava voltar para a cama e fitar a escuridão. Desconfiado, permanecia alerta um bom tempo, esperando que algo mais intenso fosse acontecer. Não sabia rezar e meus pais não eram, na época, religiosos. Só ficava aguardando, em silêncio, de forma defensiva, o que pudesse surgir do mundo espiritual. Apesar de toda a tensão por que passei, não me lembro de ter sofrido nenhum ataque espiritual relevante naquela época.

Nesse tempo, gostava muito quando minha babá – que eu chamava de Dai – me levava para andar de velocípede na praça Eugênio Jardim, em Copacabana, onde hoje existe uma estação do metrô. Ao contorná-la, eu via, ao lado de Dai, uma criatura cujos traços eram semelhantes aos dos seres humanos. Muito alta, trajava túnica verde, tinha o rosto reluzente e olhos verdes cintilantes. Silenciosa, ficava parada me observando.

Quando me aproximava, o rosto do gigante brilhava intensamente, me envolvendo na sua luz e me fazendo sentir seguro. Percebia que aquele ser era meu amigo. Sua presença era muito diferente daquilo que eu experimentava com outros elementos do mundo espiritual.

Como se tratava de algo bom, não sentia urgência em

falar sobre o gigante com meus pais. Sinceramente, não me lembro se cheguei a comentar com eles que havia um "homem de luz verde" que me acompanhava durante meus passeios na pracinha. Eu me recordo, porém, de dizer para minha babá:

– Dai, o gigante verde estava com você hoje!

Ela não se importava muito com o que eu falava – pelo menos, era essa a minha percepção de criança – e, sem questionar se aquilo era real ou não, costumava me responder:

– Para com essas bobagens, menino, que sua mãe não gosta!

Por volta dessa época, nos mudamos para a rua Nascimento Silva, em Ipanema, mas às vezes meu pai pegava o carro e me levava à praia em Copacabana, no Posto Seis, porque o mar lá não tinha onda. Entrava na água com ele, pendurado em seu pescoço, nadando no estilo peito. Mesmo pequeno, não tinha receio de nadar sem boias de braço.

Meu pai, satisfeito com minha habilidade aquática, resolveu me colocar na escolinha de natação. Aos 6 anos, eu já treinava com a equipe mirim da Associação Atlética Banco do Brasil e participei do meu primeiro Campeonato Carioca de Natação, que foi realizado na Universidade Gama Filho, no bairro de Piedade. Desde cedo fiz uma grande amizade com a água, fosse do mar, das piscinas, dos rios, dos lagos. Ela se tornou um elemento querido e importante para mim. Ainda hoje, quando estou muito estressado, acorro a ela.

Em uma das manhãs agradáveis de minha infância, meu pai me carregou com ele para a praia. Após nadarmos, retornamos à areia e me sentei na beira do mar para fazer castelos. Senti que alguém me observava da água e, ao levantar os olhos, deparei com um ser alto e luminoso, bastante parecido com o que costumava ver na pracinha. A diferença era que ele trajava azul e tinha cabelos e olhos da mesma cor. Estava em pé sobre o mar! Seu olhar me transmitia paz e autoridade: não havia dúvidas de que era alguém importante.

– Pai, um homem pode caminhar sobre o mar? – perguntei.

– Não, Pedro. Qualquer um afundaria!

– Mas tem um homem gigante em pé sobre o mar. Ele está bem ali! – exclamei, apontando.

Sem me responder, percebendo a seriedade habitual com que lhe falava, meu pai observou a paisagem, procurando algo diferente sobre a água.

– Não vejo ninguém. Vamos continuar a brincar que é melhor.

Notando que meu pai não conseguia vê-lo e aparentava preocupação, decidi não incomodá-lo com minhas visões e dei continuidade às minhas atividades infantis na areia.

Mesmo assim, meu pai deve ter se impressionado com o evento, pois o relatou a minha mãe. Dias depois, ela convocou minha tia-avó, Meire, que tinha uma boa vivência da dimensão espiritual. Cansada de tudo aquilo, queria explicações a respeito dos fenômenos que me aconteciam.

– Tia, dê uma olhada no Pedrinho. O que podemos fazer com esse menino? Isso tem que parar.

– Olhe, minha filha, realmente, há algo de diferente nele. Todas as vezes que olho nos olhos dele, surge em sua testa uma estrela dourada. Isso significa que ele vai precisar aprender a lidar com o mundo espiritual. Não há nada que você possa fazer para impedir isso. Ele veio ao mundo para cumprir uma missão relacionada a essas coisas.

O curioso é que, nos anos que se seguiram, todas as vezes que nos encontrávamos, minha tia-avó tocava no assunto. Penso que ela tivesse receio de que me desviassem da missão espiritual, o que seria, segundo seu juízo, algo inaceitável.

De qualquer maneira, naquela época, minha mãe não ficou nada satisfeita com o parecer e não se deu por vencida. Passou a me levar a neurologistas, oftalmologistas, psiquiatras e psicólogos, pensando se tratar de um problema físico ou mental, mas nenhum deles encontrou algo de anormal em mim. Eu era uma criança bem disciplinada: bom aluno e atleta, muito obediente a meus pais.

Um neurologista chegou a se irritar com a insistência de minha mãe e, de forma mais incisiva, exclamou:

– Deixe esse menino em paz! Não há nada de errado com ele!

Foi a minha salvação: o tormento das incessantes idas aos médicos acabou ali, pelo menos com relação ao campo psicológico.

Apesar dos fenômenos metafísicos, eu tinha muitos amigos na escola e interagia com todas as outras crianças. Adorava jogar futebol e vibrava quando meu pai me carregava nos ombros para ver o Fluminense jogar no Maracanã. Havia aprendido por experiência própria que falar sobre a dimensão espiritual não era benéfico. Por isso, pouco depois de completar 6 anos, decidi me calar. O que eu visse ou ouvisse do além ficaria só para mim, mesmo porque estava acostumado a suportar as experiências sozinho. Isso durou mais de uma década!

Certa vez, tive um descuido. Meu pai assistira a alguma reportagem na televisão sobre alguém que tinha visões do mundo espiritual. Fez algum comentário que não era correto e eu resolvi interferir. Não sei exatamente o que disse, mas foi algo como: "Não é assim, pai. Você não sabe porque nunca viu. Mas eu sei que vai ver..."

Ele ficou muito preocupado com o tom profético de minhas palavras, mas disfarçou com um leve sorriso.

Poucos dias depois, pela manhã, ele estava comentando com minha mãe na cozinha que tinha visto de noite um homem negro trajando vestes brancas, em pé à porta do apartamento, enquanto transitava pela sala! Achei a maior graça: enfim, ele tivera oportunidade de entender um pouquinho sobre como eu me sentia.

Infelizmente, minha infância também foi marcada por doenças estranhas. Lembro-me que, aos 6 anos, caminhava com minha babá em direção à esquina de casa. Era o local onde apanhava o ônibus escolar que me levava todos os dias da semana ao Colégio Stella Maris, que ficava no morro do Vidigal, na zona sul do Rio de Janeiro, e era dirigido por freiras.

Prestes a chegar ao ponto, senti uma terrível dor na perna esquerda e comecei a mancar. Preocupada, a babá perguntou:

– O que está acontecendo, menino?

Em poucos segundos, não conseguia sequer pousar meu pé esquerdo no chão. Com muito esforço, Dai conseguiu me arrastar até em casa.

O ortopedista encontrou um tumor ósseo que tomava quase toda a minha tíbia esquerda. Havia somente um filete de osso sustentando a perna! A cirurgia precisava ser imediata. Apesar do pânico de meus pais com aquela inesperada notícia, minha única preocupação era saber se eu voltaria a jogar futebol. O médico não respondia à questão: todas as vezes que eu indagava, ele me enrolava. Não queria me dar esperanças, já que não sabia como meu corpo reagiria. Porém, confiante como de costume, eu não reclamava.

Não tinha certeza do que era passar por uma cirurgia, mas logo percebi que devia ser algo bem complicado, pois, no dia marcado, alguns parentes vieram me ver no hospital. Com sorrisos dúbios, eles me perguntavam se eu estava nervoso ou com medo. Tranquilamente, respondia que não. Meu único problema era o futebol... Já que ninguém me dava uma resposta objetiva, coloquei na cabeça que nada impediria minha volta às quadras e aos gramados. Minha perna iria sarar por completo.

O enfermeiro pôs uma pílula tranquilizante embaixo de minha língua e se retirou. Algum tempo depois, veio me buscar. Colocou-me em uma maca e, acompanhado por meu tio Aloísio, que era médico, me conduziu por um dos corredores do hospital. Eu não sentia nenhum efeito calmante na medicação e comecei a ficar preocupado.

– Tio, esse remédio não fez efeito nenhum, estou bem acordado. Será que vão abrir minha perna assim mesmo?

– Não, Pedrinho, fique tranquilo, porque ainda vão anestesiá-lo. Depois disso, vai ser bem rápido. Você não vai se lembrar de mais nada. Só vai acordar no quarto de onde saiu.

Ao olhar para os lados, ao longo do trajeto, reparei que havia algumas mulheres vestidas de branco. Pensei em comentar com elas sobre a medicação, mas achei melhor esperar pela tal anestesia. Meu tio ficava fazendo piadas para me descontrair. Enquanto isso, as mulheres ladeavam minha maca, me observando com um leve sorriso nos lábios. E nada de vir o sono.

Assim que entramos no centro cirúrgico, as mulheres de branco sumiram de vista. Um dos médicos me avisou que aplicaria a anestesia e que eu logo iria "apagar". Mas ainda demorei algum tempo acordado. Depois de olhar bastante para as luzes apontadas para meu rosto, perdi a consciência.

No dia seguinte, perguntei para minha mãe por que havia tantas médicas me acompanhando, pois queria saber se aquilo era um procedimento normal em um hospital. Com um olhar perdido e preocupado, ela respondeu que não tinha visto nenhuma mulher acompanhando a maca até o local da operação. Imediatamente, deixei aquele assunto de lado: concluí que eram amigas enviadas pelo mundo espiritual!

O período pós-cirúrgico foi difícil e minha paciência foi testada ao limite. Não aguentava mais ficar no hospital, queria ir para casa. O problema era que ninguém estipulava uma data para eu ir embora. Aquilo foi me irritando e ameacei fugir, mas estava sob vigilância o tempo todo. Tive que amargar muitos dias deitado no leito, aturando visitantes de todo tipo, notando o medo e a pena nos olhos deles. Via os mesmos programas sempre, algo insuportável para mim, pois nunca tive o hábito de assistir à TV por horas.

Por fim, recebi alta e pude ir para casa. Como estava de férias no colégio, minha mãe, para me alegrar, resolveu me mandar para Brasília, para que eu ficasse uns dias com meus avós. Porém, não podia acompanhar as outras crianças por causa da locomoção muito limitada. Meus avós encontraram uma boa solução para me distrair: colocaram seu motorista para me levar a todo canto. Como eu não podia andar, pelo menos passeava de carro.

O grande incômodo da situação era a pesada bota de gesso até a altura do joelho, que dificultava bastante minha movimentação. Mas eu não gostava que me apoiassem ou carregassem no colo, por isso procurava fazer tudo sozinho e não me queixar. O único momento em que ficava triste de verdade era quando via pela janela do apartamento os meninos jogando bola na praça. Eu estava barrado!

Como Deus gosta de nos impor testes cada vez mais duros, permitiu que eu, ainda aos 7 anos, contraísse catapora no período de recuperação da cirurgia. Foi muito desagradável. Febres muito altas somaram-se a pequenas bolhas, que se espalharam por todo o corpo, inclusive na parte que ficava por dentro da bota de gesso. Machucavam e coçavam como se formigas me mordessem o dia inteiro! Como aquilo não tinha solução, precisava aguentar. Minha avó Dulce tentava amenizar meu sofrimento com seu carinho, mas não tinha muito êxito.

Além de tudo isso, eu via criaturas espirituais ameaçadoras dentro do apartamento. Contava para minha avó as coisas ruins que me diziam e ela, com sua fé sempre inabalável, tomava o terço nas mãos e rezava para a Virgem Maria me proteger. Mesmo com toda a oração, não me sentia seguro. Esperava meu avô Ênio chegar do trabalho e lhe falava o que estava acontecendo. Ele trocava de roupa e, enquanto percorríamos o corredor até a sala, me confortava:

– Não tenha medo. Nós dois vamos até lá e você vai ver que não há ninguém.

Contudo, logo que adentrávamos o cômodo, a expressão em seu rosto mudava. Ele ficava sério e olhava para o mesmo lugar que eu: uma poltrona bege perto de uma mesinha com um abajur. Eu ficava em silêncio, pensando: "Pronto, meu avô viu o sujeito! E agora?"

Ênio me encarava, muito tranquilo, e falava:

– Pedrinho, eu estou aqui. Não precisa ter medo. Ninguém pode fazer nada contra você enquanto eu estiver aqui. Entendeu, meu filho?

E eu ficava feliz da vida. Sentia no coração que meu avô era respeitado pelos visitantes do além, pois as criaturas do mal não ousavam se aproximar de mim quando ele se encontrava ao meu lado.

Durante os anos seguintes, só tratava de assuntos relativos ao mundo espiritual com minha tia-avó e meu avô materno. Para mim, eram as únicas pessoas que entendiam o que se passava comigo e faziam comentários pertinentes, dando-me o apoio de que precisava. No mais, meu silêncio era absoluto, independentemente do que me aparecesse.

Lembro-me da alegria que tive ao fazer meu primeiro passeio ao sítio do Colégio Santo Agostinho, logo após minha recuperação, para jogar bola com meus amigos no campo de futebol de dimensões oficiais. Também retornei às competições de natação. De seis em seis meses, todavia, era obrigado a tirar radiografias do corpo inteiro para verificar se havia surgido outro tumor ósseo.

Quando completei 14 anos, os médicos constataram seu retorno. Dessa vez, o tumor estava na fíbula esquerda. As dores se intensificaram e tive que passar por outra cirurgia. Novamente, houve bota de gesso e dificuldade de locomoção, interrupção do futebol e da natação, entre outros problemas. Pelo menos não havia a possibilidade da catapora!

Já curado, voltei a praticar esportes e a levar uma vida normal. Entretanto, com 17 anos, para surpresa e tristeza de meus pais, tive mais um tumor, alojado no couro cabeludo, do lado esquerdo da cabeça. A cirurgia para extração foi mais tranquila: ao contrário das outras, não precisei tomar anestesia geral. O mais interessante é que eu consegui acompanhar a operação inteira pelo reflexo nos óculos do médico. Até hoje, não nasce cabelo nenhum no local e tenho as duas cicatrizes na perna esquerda.

Depois de toda a "saga dos tumores", Deus resolveu me dar um tempo e minha saúde passou a ser regular.

Mas por que resolvi dirigir um terço usando os meus dons espirituais?

Por volta dos 20 anos, minha irmã conduzia um grupo de orações para jovens lá em casa. Um dia, ela me pediu:

– Será que você podia tocar violão e cantar umas músicas para animar as reuniões? Por favor...

Aceitei. Como conhecia as músicas religiosas, aquilo não era nenhum problema para mim; além disso, gostava do pessoal que comparecia. Esse foi o primeiro grupo católico de orações de que participei.

Aproximadamente um ano depois, eu dormia na parte de cima do beliche no quarto que dividia com meu irmão quando fui acordado por um estrondo. Tentei abrir os olhos, mas não consegui. Quis me sentar e percebi que não tinha domínio sobre os membros. Meu coração começou a bater acelerado e meu campo de visão se abriu em 360 graus. Eu estava enxergando todo o quarto sem mover a cabeça, através das pálpebras fechadas!

Uma densa névoa verde-musgo começou a brotar do chão e subiu até o teto, ocupando o recinto. Senti um leve cheiro de enxofre e tentei, de novo sair do estado de catarse, mas em vão.

Apesar de preocupado, procurei relaxar para pensar melhor em como sair daquela "prisão". Então, ouvi uma voz de trovão:

– Boa noite! Vim conversar com você; não precisa ficar tão apavorado.

Era uma criatura enorme, com olhos de serpente, cabeça de lagarto, torso humano e patas de cabra! Minha primeira reação foi de incredulidade: estaria diante de uma criatura mitológica?

Rapidamente percebi quão errado estava, pois o ser era bem real e, apesar do tom polido de seu cumprimento, me parecia muito ameaçador. Se tivessem me contado que algo assim existia, eu não teria acreditado. Não havia outra escolha senão tratar tudo aquilo com seriedade.

Minha reação instintiva foi fugir, mas não consegui. Praticamente nada no corpo obedecia ao meu cérebro. Resolvi focar a atenção nos olhos da criatura demoníaca e tive muito medo. Como a única coisa que parecia funcionar era a visão, achei que iria morrer e aquela criatura terrível me carregaria sabe-se lá para onde.

Como à época já gozava de grande intimidade com meu anjo da guarda, tentei chamá-lo, mas a voz não saía de minha garganta. Irritado por eu querer escapar, o monstro me disse:

– Concentre-se em mim, não tenho tempo a perder. Precisamos conversar seriamente. – A voz do demônio fazia com que meus tímpanos doessem de tão alta.

– Não quero conversar. Quero meu corpo de volta! – argumentei telepaticamente.

A criatura ficou agitada, demonstrando toda a sua impaciência por não conseguir travar um diálogo comigo.

– Vim lhe fazer uma oferta irrecusável, que muitos homens buscam, mas poucos têm acesso. Sua vida pode melhorar muito; posso fazer de você um homem muito poderoso.

Nada daquilo me interessava. O único pensamento que me ocorria era que estava prestes a morrer e, pelo que tudo indicava, iria embora com aquela criatura para sua morada contra minha vontade. Onde estava I. quando eu mais precisava dele?

Comecei a clamar pelo arcanjo São Miguel, entoando mentalmente a seguinte oração:

São Miguel Arcanjo, protegei-nos no combate, cobri-nos com vosso escudo contra os embustes e ciladas do demônio. Subjugue-o, Deus, instantemente o pedimos, e vós, príncipe da milícia celeste, pelo Divino Poder, precipitai no inferno Satanás e os outros espíritos malignos que andam pelo mundo para perder as almas. Amém!

Assim que terminei, o demônio pareceu se abalar e passou a olhar na direção da porta do quarto. Dentro de dez segundos, sumiu com uma explosão. O barulho me fez ficar com um zumbido no ouvido durante alguns minutos. Quando me dei conta, estava sentado na cama com as pernas penduradas para fora.

Preocupado, desci com um salto. Fui investigar se o monstro havia feito algo de mau ao meu irmão e me espantei: ele dormia tranquilamente, como se nada tivesse acontecido! Resolvi acordá-lo e questioná-lo se não vira nada de estranho ou ouvira um estrondo.

– Tá maluco?! Quero dormir, me deixa!

Sem me dar por satisfeito, fui ao quarto de minha mãe. Como ela também estava dormindo, nem me dei o trabalho de acordá-la – neste tempo, meu pai já não morava conosco. Ninguém notara nada. Fui até a cozinha para beber um pouco de água. Relembrei os instantes de terror por que havia passado, sem entender como algumas pessoas tinham coragem de invocar criaturas demoníacas para celebrar pactos por poder, dinheiro ou qualquer outra coisa.

Agradeci a Deus por Ele ter sido muito presente em toda a minha vida, por eu não ter aceitado qualquer proposta daquele ser temível.

– Estou orgulhoso de você – comentou meu anjo da guarda, interrompendo-me os pensamentos.

Muito irritado com sua ausência no pior momento da vida, eu o questionei:

– Onde você estava?

– Bem atrás da sua cabeça. Apesar da ampla visão do plano astral, você não me notou porque toda a sua atenção estava voltada para os olhos da criatura, focada em seu medo. Você duvidou que Deus pudesse defendê-lo. Acreditou que o inimigo pudesse levá-lo deste mundo.

Permaneci em silêncio, pois era tudo verdade. Eu chegara a pensar que não escaparia com vida e iria para o inferno com ele.

– Sua experiência esta noite foi excelente – continuou ele.

– Não entendo – repliquei, perdido.

– Você acha que um anjo caído da estatura do que o visitou costuma ir a muitas pessoas para fazer ofertas?

– Imagino que não. Quem sabe haja algo de diferente em mim? Talvez, por isso, ele me queira ao seu lado.

I. ficou satisfeito com minha resposta.

Naquela madrugada, me convenci de que havia coisas importantes para minha vida no campo espiritual. Entendi que Deus tinha permitido que eu passasse por aquela experiência estranha para que colocasse meus dons a serviço dos demais, contrariando, assim, os planos de anjos caídos.

Poucos meses depois, minha irmã, que era estudante de medicina, precisou estagiar e não pôde mais dirigir o grupo de orações em que eu tocava violão. Assim, ela me veio com uma proposta:

– Não vou mais poder conduzir a reunião. Bem que você podia fazer isso, hein? Já toca as músicas mesmo, poderia fazer todo o resto. Que acha?

Lembrando-me da terrível experiência com a criatura demoníaca, pensei ser aquele um bom começo para meu caminho e acabei aceitando.

No início, não quis trazer à tona minhas visões durante os encontros. Tinha receio de que aquilo fosse causar certa confusão, atraindo curiosos, em vez de pessoas que realmente quisessem rezar. Quem me convenceu de que usar os dons em sua plenitude era algo necessário para o crescimento espiritual dos outros foi uma senhora paraibana que morava no Rio de Janeiro, bem perto da minha casa.

– Meu filho, você é um dos escolhidos de Deus – garantiu

Z. – Precisa seguir com passos firmes o caminho que Jesus e Nossa Senhora têm para você. É necessário cumprir sua missão. Ela apontou para uma belíssima imagem de Nossa Senhora de Fátima que tinha em sua casa.

Imediatamente, aquele discurso tocou meu coração. Desde a morte de minha tia-avó, havia alguns anos, que não escutava algo parecido.

– Nossa Senhora me disse que você vai presidir um grupo imenso de pessoas. Vejo uma multidão, algo em torno de dez mil! – profetizou ela.

– Z., o grupo de oração lá em casa só tem quinze pessoas – retruquei, incrédulo.

Ela riu de mim.

– Sim. Mas vai aumentar muito. Nossa Senhora quer que você divulgue a devoção ao terço.

– Mas, Z., isso é coisa para velhinhas! Ninguém vai querer rezar comigo se a oração for toda executada em torno do terço!

Eu mesmo não tinha o hábito de rezar o terço todos os dias e considerava uma atividade muito monótona para ser feita em grupo.

– Pois aí é que você se engana! O terço é uma oração mística de suma importância. A Rainha dos Anjos me falou que você o rezará do seu jeito, de modo original, e conquistará o coração das pessoas!

O mais incrível é que todas as profecias de Z. sobre mim e o grupo se concretizaram. Como eu tinha a maior confiança nessa senhora, que para mim era uma santa viva, resolvi construir uma fórmula mais interessante para atrair as pessoas. Incluí músicas e a leitura de passagens do Novo

Testamento e passei a falar sobre o que o Espírito Santo, Nossa Senhora, santos e anjos me revelavam ao longo da reunião.

Para minha alegria, os frequentadores adoraram! Em pouco tempo, o apartamento de minha mãe já não comportava todas as pessoas e fui falar com o frei Antonio Moreno, agostiniano recoleto, então pároco da Igreja de Santa Mônica, no Leblon, onde morávamos. Pedi permissão a ele para transferir o grupo de orações. O sacerdote, muito gentil, aceitou a proposta de imediato e nos dedicou uma sala no segundo andar.

Passou-se mais algum tempo e novamente o espaço se mostrou insuficiente. Frei Antonio Moreno decidiu abrir o salão paroquial para nós. Após alguns meses, o fato se repetiu: o amplo local se tornou pequeno para o povo de Deus!

Assim, o terço foi designado para a nave central da igreja, com cerca de trezentas pessoas. Nós nos reuníamos todas as semanas às sextas-feiras e o número de componentes do grupo se estabilizou. Quando se aproximavam festas católicas como a Páscoa ou o Natal, contudo, os presentes chegavam perto de quinhentos.

Pouco antes de as reuniões atingirem tais números, conheci frei Juan Antonio, o grande colaborador e incentivador de minha missão. Foi, novamente, Z. quem me alertou:

– Meu filho, você precisa de um diretor espiritual. Um sacerdote que possa acompanhar e dividir com você suas visões.

– Z., acho pouco provável que apareça algum padre que queira se responsabilizar.

– Você está enganado! O homem ideal está chegando ao Rio de Janeiro. Vai servir na Igreja de Santa Mônica, é espanhol e chama-se Juan Antonio. É filho espiritual de D. José Luís Azcona, bispo de Marajó. Entende muito bem dos dons do Espírito Santo. Gostaria que você o procurasse e pedisse a ele que assumisse sua direção espiritual.

– Mas o homem não vai querer! Como vou convencê-lo de que deve me aceitar? O sujeito nunca me viu, não sabe quem eu sou...

– Não sei. Agora é com você. Peça ao seu anjo da guarda que lhe ajude nessa tarefa. Com certeza ele vai lhe apresentar uma boa solução – garantiu Z. com toda a calma.

Em uma sexta-feira à noite, fui a uma missa, na paróquia de Santa Mônica com minha esposa – na época, ainda namorada. O padre celebrante nos cativou por sua bela homilia e seu carisma. Ao final, fomos até a sacristia a fim de parabenizá-lo e perguntar seu nome. Para minha surpresa, o religioso respondeu:

– Sou o frei Juan Antonio.

Não tive coragem de lhe pedir que fosse meu diretor espiritual ali, pois acabara de conhecê-lo e havia muita gente na fila para saudá-lo.

Decidi que faria uma abordagem bem direta em outra oportunidade. Naquela época, eu tocava violão no grupo jovem encarregado da música da missa de sábado à noite da Igreja de Santa Mônica. O frade, por coincidência (será mesmo?), fora designado para ser seu celebrante oficial. O tempo foi se passando sem que eu conversasse com ele, pois achava que iria ser rejeitado.

Ao término de uma dessas missas, sabendo que ele simpatizava muito com o grupo jovem e com o repertório que tocávamos, resolvi lhe falar.

– Frei, gostaria que o senhor se tornasse meu diretor espiritual.

Ele me olhou surpreso e deu um sorriso amarelo, meio esquivo.

– Vamos ver... Ando muito ocupado e acabei de chegar ao Rio de Janeiro para assumir meu cargo.

Vendo minha cara de decepção, emendou:

– De qualquer maneira, estou escalado para atender ao povo em confissão na próxima terça-feira. Venha se confessar comigo pela manhã. Que tal? – perguntou, com seu inconfundível sotaque espanhol.

– Tudo bem, estarei presente. Até terça – respondi e nos despedimos.

Saí de lá com a impressão de que Z. havia se enganado a respeito da direção espiritual, pois estava evidente que o sacerdote espanhol não me aceitaria. Quando cheguei em casa, tive a intuição de que não deveria desistir, pois as coisas que vêm de Deus são mesmo difíceis de serem executadas.

Comecei a pedir a I. que me dissesse algo sobre a vida privada do frei Juan Antonio, para que ele acreditasse que eu tinha dons e poderia ser útil ao povo. Como o frade era um estudioso do tema, talvez isso tocasse seu coração.

Os dias foram transcorrendo sem que eu tivesse acesso a qualquer informação do mundo espiritual. Aquilo me deixou muito chateado: será que eu devia desistir? Enfim, a terça-feira chegou. Eu não tinha nada em mãos para apresentar ao sacerdote e estava resignado a ir lá somente para me confessar.

Quando pisei as escadarias da igreja, meu anjo da guarda me apareceu.

– Avise ao frei Juan Antonio que um frade, irmão dele de ordem, que mora aqui nesta casa, será nomeado bispo muito em breve.

Eu fiquei radiante: enfim tinha uma boa informação!

Assim que terminei a confissão, falei ao frade:

– Frei, tenho uma revelação espiritual para o senhor.

Ele me olhou perplexo, abriu a boca, mas dela não saiu nenhuma palavra. Depois de um tempo, apenas sorriu. Aproveitando o momento, continuei:

– Daqui da comunidade de padres que o senhor dirige, sairá um bispo. Isso deve acontecer nos próximos dias.

Juan Antonio, pego de surpresa, respirou fundo, como se estivesse buscando em sua alma paciência para aturar aquele jovem abusado.

– Olha, é pouco provável que isso aconteça. Eu sou o prior desta comunidade de sacerdotes agostinianos. Tudo o que se passa com meus irmãos frades é de minha responsabilidade. Isso significa que todas as informações passam por mim. E não me chegou nada relativo ao assunto. Sinto muito, mas se um bispo fosse sair daqui eu seria consultado e previamente avisado – garantiu ele, ainda que titubeante.

Após um minuto de silêncio, acrescentou:

– Vamos rezar para entendermos o que Deus quer de nós. Mais para frente, voltamos a conversar sobre o assunto.

Claramente não queria que eu ficasse chateado. Também não queria cometer nenhuma injustiça comigo. Frei Juan Antonio levantou-se da cadeira e encerrou nosso encontro. Nós nos despedimos e fui para casa muito satisfeito.

Era tudo o que eu queria: algo pouco provável de se concretizar.

Ao fim da missa de sábado à noite, no meio de uma multidão de pessoas que buscavam sua bênção, frei Juan Antonio, com voz potente de barítono, me avisou:

– Pedro, não vá embora. Espere eu terminar aqui, pois quero falar com você.

Sentei-me em um dos bancos da Igreja e o aguardei.

– Tenho que lhe pedir desculpas, pois duvidei de suas palavras. Nesta semana, fui oficialmente informado de que frei Jesus, meu colega de seminário, foi nomeado bispo no Norte do Brasil! – exclamou ele, sorrindo o tempo todo.

Sabendo que tinha triunfado, nada respondi.

– Começamos nossa direção na próxima semana. Quero ouvir tudo o que você sabe sobre o mundo espiritual. Vou participar também do terço que você conduz. Quero ver como emprega seus dons.

Assim começou uma grande amizade, que vem atravessando os anos. Eu e minha esposa o admiramos tanto que decidimos homenageá-lo dando ao nosso filho seu nome.

Voltando à história do ponto em que havia parado, em setembro de 2007, saiu uma reportagem a respeito da reunião do grupo que dirigia em um jornal de grande circulação do Rio de Janeiro. O número de participantes, daí por diante, não parou de crescer.

Hoje, rezo o terço em várias outras cidades do Brasil. O curioso é que o número que Z. estimou para uma única reunião, dez mil, foi atingido na oração que fizemos no Santuário Mãe dos Aflitos, na Diocese de Santo Amaro, em

São Paulo, no dia 1º de maio de 2013. Nesse dia, homenageamos São José Operário.

Por isso, costumo dizer que as coisas vindas do Altíssimo são impressionantes e imprevisíveis! Deus é dinâmico: nenhuma reunião que faço é igual a outra. É impossível ficar entediado no cumprimento de uma missão; o mundo espiritual sempre se abre com alguma novidade para meus olhos e ouvidos. Penso que assim deve ser para todos os que se aventuram a buscá-lo de modo intenso.

Agora, convido você a uma pequena "viagem espiritual" para nos aproximarmos um pouco mais do Pai Celestial.

III

A busca

Os seres humanos vêm ao mundo e, ao longo dos anos, fixam seus objetivos. Existe, para cada um, algo que toca mais profundamente o coração. Segundo Jesus, "onde está o seu tesouro, aí estará também o seu coração" (Mateus 6, 21).

Há pessoas que passam a vida procurando a riqueza material. Pode-se dizer que seu grande tesouro é o dinheiro: elas vivem com o propósito de fazer fortuna. Se o "vil metal" é o seu objeto de desejo, este livro não é para você! Não escrevi aqui sobre a atividade mundana de se fazer multiplicar os bens materiais, já que o Mestre, há muito, nos advertiu: "Não ajuntem riquezas aqui na terra, onde a traça e a ferrugem corroem, e onde os ladrões assaltam e roubam" (Mateus 6, 19).

Claro que a situação financeira é um dado importante para a sobrevivência e pode melhorar (e muito) quando são colocados em prática os princípios espirituais. Não porque o objetivo do indivíduo em nosso planeta seja a riqueza material, mas porque, ao buscar Deus em primeiro lugar, ele acaba presenteado pelo Criador, que lhe proporciona meios materiais para completar sua missão na sociedade em que vive. Desperdiçar seu tempo procurando enriquecer, todavia, não é algo prudente. Lembre-se do que disse São Paulo:

"A raiz de todos os males é o amor ao dinheiro. Por causa dessa ânsia de dinheiro, alguns se afastam da fé e afligem a si mesmos com muitos tormentos" (1 Timóteo 6, 10).

Do mesmo modo, é comum observar pessoas que somente se interessam pelo "jogo do poder": querem honrarias e comandar os outros. Sinto muito, mas este livro também não foi feito para vocês! Quanto a isso, Cristo, presenciando uma discussão entre seus discípulos, que disputavam para saber qual deles era o de maior valor, afirmou: "Aquele que é o menor entre vocês, esse é o maior" (Lucas 9, 48). A carta de São Tiago é bastante clara sobre o tema (capítulo 4, versículo 6): "Deus resiste aos soberbos, e aos humildes dá a sua graça."

Há também uma situação interessante: pessoas que querem ser mais "espirituais", mas que passam boa parte da vida colocando diversas barreiras à sua pretensão. Elas têm o hábito de sabotar seu próprio caminho, sempre adiando um passo mais determinado em direção a Deus. Se você se enquadra nesse grupo, saiba que o importante é mergulhar de cabeça no Espírito Santo e deixar-se levar pelos sinais divinos. Esteja de peito aberto às coisas do Alto.

Não deixe que medo, desconfiança, preguiça ou opiniões depreciativas o impeçam de se lançar na senda espiritual. Os capítulos que se seguem estão relacionados com o que entendo ser a busca fundamental de nossa vida: a evolução de nosso espírito.

Segundo o conselho de São Paulo, devemos procurar as coisas do Alto, e nelas concentrar nossas ações (Colossenses 3, 1-2). Para os que caminham na terra com esse foco, haverá bênçãos, conforme a vontade de nosso Pai Celestial, pois assim está escrito: "Em primeiro lugar busquem o Reino de Deus e a Sua Justiça, e Deus dará a vocês, em acréscimo, todas essas coisas" (Mateus 6, 33).

IV

Oração Pessoal

Gostaria de compartilhar com meus leitores o que entendo por "instruções básicas" para se ter uma boa vivência espiritual. De cara, dou-lhes uma inevitável advertência: sem esforço pessoal – coragem, disciplina e persistência –, o mundo espiritual não se abre. Leve em consideração um atleta profissional: se não treinar duro, todos os dias, por um bom tempo, ele não conseguirá vencer. O mesmo se dá com a vida no espírito.

Algumas pessoas que creem em Deus não têm o hábito de rezar. Acreditam que a oração tem poder, mas, por diversas causas, não a fazem com frequência. Entretanto, costumam pedir aos outros que orem por elas! Não percebem que é através da oração pessoal que cultivamos uma bela amizade com o Todo-Poderoso. Um contato íntimo, diário, é fundamental, nem que seja por poucos minutos. É necessário que cada um reze por si mesmo.

Uma jovem, M., preocupada com o estado de saúde de seu pai, que lutava contra uma doença havia algum tempo, rezava pela recuperação dele. O homem, por sua vez, apesar de crer, não pedia por si mesmo a Deus. Um dia, passando pela porta da Paróquia Nossa Senhora da Paz, em Ipanema, no Rio de Janeiro, ela viu a bela imagem da Virgem Maria. Mentalmente, pediu sua intercessão pela cura e sentiu em seu coração a resposta da Mãe Santíssima: "É preciso que seu pai reze pela própria saúde!"

Mais tarde, quando se encontrou com o pai contou-lhe o ocorrido, enfatizando a resposta de Maria. No dia seguinte, seu pai foi ao médico, acompanhado da esposa. Estacionaram o carro na garagem do prédio onde ficava o consultório e, logo após, avistaram uma salinha que abrigava uma pequena capela. Lembrando-se do que a filha lhe dissera, ele entrou lá e fez o pedido por sua recuperação. Naquele dia, o médico decidiu trocar a medicação e, em pouco tempo, o pai de M. ficou curado.

Uma senhora costumava frequentar o meu grupo de orações no Rio de Janeiro e todas as vezes que me via retirava do bolso da calça, toda afobada, a carteira de trabalho do filho.

– Pedro, coloque suas mãos aqui na foto dele e faça um pedido para que o J. consiga, finalmente, um emprego.

– Mas a senhora tem certeza de que ele quer trabalhar?

Eu perguntava isso porque Deus respeita o livre-arbítrio de cada ser humano. Se o rapaz não estivesse interessado em trabalho, pensei, pouco impacto teriam minhas orações e as daquela mulher. Era preciso que, antes de mais nada, o rapaz se mobilizasse, buscando distribuir seu currículo, participando de entrevistas. Dificilmente alguém que está fora do mercado há muito tempo é convidado do nada a ocupar um bom posto.

– Acho que sim. Mas, mesmo que não queira, ele precisa, Pedro.

Era o típico apelo de uma mãe preocupada com a situação acomodada do filho.

– Tudo bem. Vou lhe explicar algo importante – resolvi lhe falar mais seriamente. – Deus quer que seu filho tenha uma amizade real com Ele. Isso é algo essencial, porque dessa relação virão boas coisas para o J. É necessário que ele mesmo reze, tendo em vista a situação por que está passando.

Ela não pareceu satisfeita.

– Vamos fazer o seguinte – prossegui. – Traga o rapaz aqui, para rezar o terço com o grupo. Se ele não gostar, tudo bem, não precisa voltar. Caso contrário, ele mesmo vai pedir um emprego. Combinado?

Ela aceitou a proposta.

Na reunião seguinte, ela compareceu com o filho. Em vez de me estender a carteira de trabalho, como havia feito antes, apresentou-o a mim:

– Pedro, este é o J. – O rapaz estava sem graça, sentindo-se deslocado naquele meio religioso. – J., fique tranquilo. Ninguém vai interferir nos seus pensamentos nem na sua oração. Você vai ficar sentado em um dos bancos da igreja em silêncio, como todos nós. Não vão questionar o que você está fazendo aqui. Peço apenas que você se concentre no encontro com Deus.

– Quer mesmo um emprego? – perguntei.

– Quero, sim.

– Tem se esforçado em consegui-lo?

– Não muito...

Pela resposta dele, percebi que era, de fato, uma pessoa acomodada. Resolvi, então, deixá-lo aos cuidados de Deus durante o terço para ver o que acontecia.

No mês seguinte, a mulher voltou, trazendo J. consigo.

– Pedro, consegui meu objetivo com muito mais facilidade do que pensei! – contou ele.

– Como é possível, Pedro? – interveio a mulher. – Rezei tanto e Nossa Senhora não me deu o que queria. Mas bastou o J. rezar um pouquinho e Deus deu de presente para ele um bom emprego.

– Muito simples: Deus acolheu seu filho, exatamente como fez com o filho pródigo da parábola de Jesus. J. teve o mérito de vir até a casa do Pai e rezar com o coração. Naquele momento, talvez tenha tomado a decisão de trabalhar. Entendeu a importância do trabalho em sua vida. Acreditou no poder da oração e uniu a isso uma efetiva procura por emprego. Foi, como a senhora mesma acabou de me dizer, um presente dos céus.

Existem muitas outras histórias como essas. Quantas pessoas experimentaram resultados eficazes por meio de sua própria súplica ao Pai Celestial? Não devemos subestimar o poder que há em nós. É sempre bom contar com pessoas amigas, que rezam pelas nossas causas. Mas isso não deve se tornar desculpa para cultivar em nosso coração uma "preguiça espiritual".

Precisamos ter a consciência de que somos filhos amados do Altíssimo. Ele anseia pelo nosso contato e quer que tenhamos mais e mais intimidade com o mundo espiritual. Devemos aprimorar nossa conexão com Deus; só com a prática podemos alcançar um nível de excelência. Dá trabalho, mas também muita satisfação. Queira ser amigo de Deus!

No próximo capítulo, exponho minha visão sobre quais elementos básicos não podem faltar no contato direto com o mundo espiritual. Vamos começar devagar, pois tudo tem seu tempo.

V

Componentes para a boa relação com o mundo espiritual

1. Rezar na companhia do anjo da guarda

"Santo anjo do Senhor, meu zeloso guardador, se a ti me confiou a Piedade Divina, sempre me rege, me guarda, me governa e me ilumina. Amém!" Praticamente todas as pessoas que cresceram em um lar católico ouviram essa oração em algum momento da vida. É a mais famosa oração ao anjo da guarda que conheço, para mim a primeira do dia. Às vezes a entoo antes mesmo de abrir os olhos.

Deus encarregou os anjos da execução de sua Obra e sua Lei no mundo em que vivemos. A importância desses seres é imensa, bem maior do que a inteligência humana pode compreender. Não consigo passar um único dia sem invocar meu anjo da guarda, pois o considero um grande companheiro.

Lembro-me da presença de meu guardião celeste desde que era criança, como já narrei: um jovem resplandecente, muito alto, com cabelos e olhos verdes translúcidos, lábios muito finos e rosto angulado, trajando túnica verde brilhante com detalhes em ouro nas mangas e na gola. Suas pupilas penetrantes parecem ocupar todo o globo ocular.

Sempre que passei por dificuldades, lá estava I. a meu lado. Perdi a conta das pessoas que já me perguntaram se os anjos da guarda têm asas. Nunca as vi, mas acredito que cada anjo pode assumir uma forma diferente. Certas vezes, o anjo da guarda de Dom Bosco se materializou como um enorme cão e o de São Padre Pio aparecia como um pequeno menino. Acredito que, se seu anjo da guarda quiser, pode aparecer com asas.

Apesar de a oração pessoal ser tida como um exercício solitário, aquele que invoca seu anjo protetor nunca está sozinho. Independentemente de onde rezo, I. me acompanha e me auxilia. Se você duvida, basta ler o que Deus disse a Moisés: "Vou enviar um anjo na frente de você, para que ele cuide de você no caminho e o leve até o lugar que eu lhe preparei. Respeite-o e o obedeça. Não se revolte, porque ele leva consigo o meu nome, e não perdoará suas revoltas. Contudo, se você lhe obedecer fielmente e fizer tudo o que eu disser, então eu serei para você inimigo de seus inimigos e adversário de seus adversários" (Êxodo 23, 20-22).

A intimidade com o anjo da guarda é um dos elementos-chave para o sucesso da oração pessoal. Há gente que passa boa parte da vida ignorando a presença de seu anjo guardião, fazendo com que se perca a comunicação com ele, ou pelo menos a qualidade dessa conexão cai bastante.

Não é difícil compreender essa situação. Imagine que você deseja estar com uma pessoa que ama muito. Quer conversar com ela todos os dias, mas, com o tempo, ela passa a ignorá-lo. Nada do que você diz adentra seus ouvidos e seu coração. Será que, depois de tanto insistir, você ainda vai querer estar com ela? Ou vai se distanciar cada vez mais, até um dia perderem contato? Pois é, o mesmo se dá com o seu anjo da guarda.

Como toda amizade, deve ser cultivada e alimentada com amor. O anjo deseja transmitir mensagens importantes, vindas do Alto, ao coração do protegido. Pode fazer surgir nele intuições, em especial em momentos críticos, e tem o poder de plantar em sua mente palavras sábias, vindas da Corte Celeste.

Fico impressionado com o grande número de pessoas que me perguntam se possuem um anjo da guarda. Algumas, inclusive, dizem que acreditam na existência desse tipo de criatura, mas acham que, por um motivo ou outro, seriam desprovidas de tal proteção divina!

Assim, é importante que se frise: todo ser humano, desde sua concepção, recebe de Deus um anjo da guarda. Mas um anjo protetor não serve a duas pessoas. Infelizmente, boa parte das pessoas não pode ouvi-lo nem sentir sua presença devido à falta de intimidade.

O canal da comunicação deve ser purificado dia a dia, com amor e dedicação. Deve-se falar com ele mentalmente no início do dia (a oração que abre este capítulo é um bom começo) e ao anoitecer; convidá-lo a fazer companhia quando se vai à rua; pedir seu auxílio no trabalho e nas situações da vida familiar. Conheço pessoas que, a partir de um dado momento da caminhada terrena, resolveram tratar o anjo da guarda como um amigo constante. Elas passaram a sentir-lhe a presença, inclusive fisicamente. Alguns puderam até mesmo ouvir sua voz ou vê-lo.

Uma senhora que frequenta o grupo de oração no Rio de Janeiro me contou um fato muito curioso: estava se banhando em um rio de correnteza por vezes forte quando, por imprudência, afastou-se muito da margem e foi arrastada pelas águas.

Afobada, G. acabou bebendo muita água e começou

a afundar. Não tinha forças para voltar à superfície e ia morrer afogada. Em pânico, ela se lembrou de seu anjo da guarda, a quem invocava todos os dias e pediu socorro. Imediatamente, sentiu braços fortes puxando seu corpo até a superfície.

Quando G. emergiu, pôde ver o grande alvoroço que se formara na beira do rio: já havia uma equipe de resgate, com boias e cordas, pronta para retirá-la. No meio dessa confusão, tentou avistar seu salvador. Viu um jovem de rosto angelical que sorriu, transmitindo-lhe confiança e paz, enquanto os homens se movimentavam na direção dela. No instante em que ela abraçou a boia e começou a ser puxada para a margem, o rapaz desapareceu.

– Pedro, eu tenho a mais absoluta certeza de que aquele garoto misterioso era o meu anjo da guarda!

Sorri e indaguei o porquê de tal conclusão.

– Muito simples: nenhuma outra pessoa que estava lá conseguiu ver o rapaz. Além de enxergar muito bem seus traços, senti seus braços ao redor do meu corpo. Ele salvou minha vida!

O guardião havia assumido a forma de um jovem para cumprir a missão.

Recentemente, em uma reunião do terço no Rio de Janeiro, um casal aproximou-se de mim ao final e me contou uma história belíssima:

– Há pouco tempo, perdemos nossa filha, que nos deixou um neto – disse L. de forma serena.

Naquela noite, logo no início da oração, meu anjo da guarda me falara para avisar ao povo que Nossa Senhora havia recebido os filhos jovens das pessoas que se encontravam ali, falecidos de modo prematuro, e os encaminhara ao devido lugar. Ele fez questão de frisar que todos estavam bem. Em nenhum outro encontro eu tinha presenciado tantos pais naquela situação.

R. continuou o relato da esposa:

– Levei meu neto a um shopping na Barra da Tijuca. Lá, existe um imenso espaço de jogos eletrônicos, onde as crianças se divertem. Eu o estava observando brincar, quando uma menina pequena me cutucou a perna. Abaixei-me para ver o que queria e, para minha surpresa, entregou um bilhete, dizendo que era para mim, se virou e desapareceu no meio da multidão.

– O que havia no bilhete? – perguntei.

– Uma coisa incrível! Estava escrito que minha falecida filha estava bem e feliz por eu e minha esposa estarmos cuidando do filho dela!

Emocionado, R. me explicou ainda que o bilhete continha os nomes completos de cada um deles e que depois tentou localizar a menina, porém nunca mais a viu.

Eu quis saber o que o casal achava daquela experiência.

– Penso que era o anjo da guarda do meu neto – respondeu R. – Isso é possível?

– Sim, conheço algumas histórias em que o anjo da guarda assume a forma humana, tanto homem quanto mulher, já que anjo não tem sexo. Ele faz isso para trazer consolo ou mesmo algum tipo de socorro ao seu protegido.

– Pois então foi isso: o anjo da guarda do meu neto se materializou na forma de uma menina pequena e me entregou o bilhete, deixando-me mais aliviado.

Para mim, estava claro que a menina era um anjo. Não

disse nada ao casal, mas achava que ela era, na verdade, guardiã do próprio R., pois o bilhete fora entregue para ele, com o objetivo de pacificar seu coração atribulado.

Na Igreja Católica, a afirmação de que os anjos são designados por Deus para serem nossos guardiões é considerada *verdade de fé*; não chega a ser um dogma. Não tenho a menor dúvida de que cada pessoa tem seu anjo da guarda e estou em boa companhia! Um dos que concordam comigo é São Jerônimo, doutor da Igreja, um dos santos que costuma vir me auxiliar durante os terços que dirijo, transmitindo mensagens ao povo.

Vale ressaltar que, mesmo quando a pessoa ainda está no ventre materno, o anjo já está exercendo seu ofício! Tive esta bela certeza a partir de um episódio peculiar. No final de 2010, minha esposa, Natália, tentava engravidar e levei-a ao Santuário de Aparecida do Norte, em São Paulo. Era noite e estávamos praticamente sozinhos, contemplando a imagem negra de nossa Mãe querida. Não sabíamos que Natália estava no início da gestação, pois ela não fizera nenhum teste.

Sentado no banco de madeira ao lado de minha mulher, baixei os olhos. De repente, percebi um ser angélico muito alto, vestindo túnica violeta. Encarei minha esposa e avisei:

– Há um ser angélico a seu lado.

– É meu anjo? Ele sempre aparece quando rezo.

– Olha, conheço muito bem seu anjo. Não é ele. Aliás, nem sei se essa criatura é exatamente do coro celeste dos anjos! Seu rosto é um pouco diferente...

Muito tranquila, ela falou o óbvio:

– Pergunte quem é e o que quer de nós.

Logo obedeci. Observando-me com seus olhos violeta, respondeu que era o guardião do menino que estava no ventre! Pertencia à hierarquia dos arcanjos e sempre o acompanharia pela vida. De fato, no dia seguinte, através de um teste de farmácia, confirmamos a gravidez de Natália.

Desde então, todos os dias, observo o enorme ser ao lado do meu filho. Ele parece estar sempre muito concentrado na criança. Às vezes, faço perguntas sobre o menino, mas ele apenas me olha sério. Acho interessante sua postura silenciosa, que contrasta bastante com o meu anjo da guarda, com quem, por vezes, converso e até brigo! Noto que os anjos, além de assumirem aparências diversas, têm personalidades e funções distintas. Como será o seu?

Cabe mencionar ainda, para efeito de esclarecimento, um fato que se repete em todas as orações que conduzo Brasil afora. No quinto e último mistério do terço, solicito que as pessoas apresentem a Nossa Senhora seus pedidos. Nesse instante, o recinto se enche de anjos que, vindos da luz dourada que ocupa toda a cúpula da igreja, pairam sobre nossas cabeças.

Todos esses seres, vestidos com túnicas de cores diversas, carregam cestos dourados. Assim que se posicionam, I. me pede que diga aos presentes para imaginarem que suas intenções adotam o formato de pequenas esferas de luz azul.

Quando essa imagem está firme na mente das pessoas, I. me avisa que chegou o momento de as pessoas visualizarem as esferas sendo depositadas dentro dos cestos dourados.

Vejo uma enxurrada de esferas azuis sendo arremessadas para dentro dos cestos. Pacientes, os anjos esperam até que a última seja devidamente acomodada. Só então partem em direção à Sala do Trono do Pai Celestial, local de onde decorrem todas as graças.

Os resultados têm sido excelentes. Há um número enorme de testemunhos de pessoas que, apesar de não terem recebido nenhuma mensagem do plano espiritual durante as reuniões – até porque a quantidade de presentes é muito alta e, normalmente, só há vinte mensagens por terço –, têm seus pedidos atendidos. E isso, cá entre nós, é muito mais importante.

Acredito que, mesmo em seus lares, você pode imaginar essa cena ao longo de suas orações, quando unido com os anjos da guarda. Peça ao guardião, com confiança, que leve sua prece até a Sala do Trono do Pai Celestial, para que Deus lhe conceda as bênçãos necessárias.

Procure, a cada dia, cultivar a intimidade com o anjo da guarda e sinta gradualmente a presença dele crescer em sua vida.

2. Rezar com fé

A mera leitura dos princípios espirituais descritos nas páginas deste manual não conduzirá você ao resultado desejado. Recitar fórmulas da boca para fora ou agir mecanicamente não tem o condão de atingir o Pai Celestial. Rezar com fé é requisito para o sucesso de qualquer oração. Foi o próprio Jesus quem ensinou essa verdade: "E tudo o que vocês, na oração, pedirem com fé, vocês receberão" (Mateus 21, 22).

Durante a vida pública de Jesus, percebemos que os milagres aconteciam conforme a fé do povo. A Bíblia nos conta que, enquanto o Mestre esteve em sua própria pátria, não operou muitos milagres por causa da falta de fé das pessoas de lá (Mateus 13, 58).

Lembro-me de um senhor, F., que desde as primeiras reuniões acompanhava o terço. Tinha um amor todo especial por Nossa Senhora da Rosa Mística e, como não havia uma imagem dela na igreja onde ocorriam os encontros, costumava trazer uma de casa. Aproveitava para colocar rosas brancas, amarelas e vermelhas aos pés dela. No final, muito gentil, deixava que os fiéis levassem as rosas.

F. dizia-me que um de seus maiores desejos era ver Nossa Senhora. Durante as orações conduzidas por mim, ele se emocionava, pois sentia a presença de Maria, mas queria vê-la "com seus próprios olhos". Fazia esse pedido em todas as suas orações, sem obter resposta.

Ao término de cada reunião, vinha me perguntar:

– Pedro, é possível ver Nossa Senhora? Eu queria tanto! Peço sempre a Deus que a revele a mim, mas Ele não atende meu pedido. Hoje, de novo, não a vi.

Respondia que, se Maria Santíssima quisesse e Deus permitisse, poderia aparecer para qualquer pessoa e isso não dependia de mim. Ele abria um sorriso largo e afirmava que, um dia, iria alcançar seu objetivo.

Alguns integrantes do grupo de oração achavam ridículo que o homem desejasse ver Nossa Senhora, pois acreditavam que Ela só apareceria a uma pessoa que tivesse uma vida de santidade. Eu falava que não, pois, se eu a enxergava, outros poderiam ter tal experiência, já que não tenho nada de santo.

Anos se passaram, até que F., já por volta dos 80, adoeceu gravemente. Um câncer fez com que ele fosse internado em um hospital no Rio de Janeiro. Os médicos informaram à família que não havia chance de sobrevivência. Um dos parentes me avisou da situação e comentou que o último desejo de F. era uma visita minha, para rezar com ele, já que tinha me acompanhado nas reuniões por mais de dez anos. Prometi que iria.

Como estava muito atarefado, o tempo foi passando e não conseguia ir ao hospital. Um dia, enquanto estava em meu carro, me dirigindo ao trabalho, I. apareceu e sentou-se no banco do carona. Perguntei o que queria comigo e ele disse que F. faleceria na madrugada do dia seguinte. Era urgente que eu cumprisse minha promessa. Repliquei que provavelmente haveria um horário de visitas e não me deixariam entrar àquela hora. Ele insistiu:

– Vá agora!

Logo que o anjo me deu a ordem, meu celular tocou. Encostei o carro para atendê-lo: era uma pessoa da família de F. Ela explicou que os médicos achavam que ele não conseguiria passar daquela tarde. Sem pestanejar, respondi que estava em meu carro rumo ao hospital. A mulher não acreditou. Afirmei que era verdade, que o encontraria vivo e rezaria com ele. Ela, então, me deu o número do quarto, mas avisou que desconhecia o horário de visitas.

Quando cheguei ao hospital, meu anjo apareceu novamente. Recomendou que eu não parasse ao balcão de atendimento e que pegasse determinado elevador no lado oposto à entrada. Passei pelos seguranças e enfermeiros sem que ninguém questionasse minha presença – era como se eu estivesse invisível. Cheguei à porta do quarto e, ao abri-la, notei que F. estava dormindo, sozinho. Toquei seu braço e ele, de pronto, me reconheceu.

– Pedro, não acredito! Estava rezando o tempo todo para que Deus me mandasse você. Gostaria que me dissesse alguma coisa. Sobre a doença...

Ele se pôs a chorar. Esperei que se acalmasse e disse:

– Meu amigo, você serviu Nossa Senhora durante tantos anos... Ela vai socorrê-lo. Para Deus, você cumpriu sua missão e está na hora de voltar para sua verdadeira casa.

Ele entendeu o recado e voltou a chorar muito.

Pensei que F. estivesse com medo da morte, o que seria absolutamente natural.

– Não tenha medo: todos nós vamos passar por esse momento. O mais importante é que você serviu a Deus e os anjos vêm aqui para acompanhá-lo. Não é bom?

Para minha surpresa, ele respondeu:

– Não estou com medo. Sei que é minha hora. Estou emocionado porque sua presença significa que eu vou ter a companhia de Nossa Senhora! Mas tenho uma queixa.

Preocupado com a frase inesperada, perguntei o que era.

– Ela nunca se mostrou para mim. Não a vi com meus olhos, como gostaria que tivesse acontecido.

Achei aquilo muito interessante e desafiei o homem:

– Mas você não tem fé? Duvida que não vai vê-la? Pode ser que Ela mesma venha buscá-lo. Aí, você terá uma surpresa.

Ele se pôs a rir, parecendo estar feliz.

Aproveitei o bom momento e peguei meu terço no bolso da calça jeans. Ele estava com um de madeira enrolado no punho direito, em meio ao emaranhado de tubos injetados em suas frágeis veias.

– Vamos rezar os mistérios gloriosos? São os que dizem respeito à ressurreição, experiência pela qual você passará.

Ele me deu um belo sorriso. Começamos a rezar e, ao lado da janela do quarto, através de um forte clarão de luz, vi Nossa Senhora vestida de branco. Não disse nada a ele. De repente, F. começou a chorar. Perguntei o que tinha acontecido. Ele falou que sentira a mesma presença que estava acostumado a sentir no grupo de oração e que, pelo odor de rosas que havia penetrado em suas narinas, achava que Nossa Senhora da Rosa Mística estava ali, junto ao seu leito.

Fiquei muito impressionado. Como um homem moribundo podia perceber que Nossa Senhora tinha acabado de entrar no quarto? Como ele esperava que eu dissesse algo, assegurei:

– Meu amigo, Ela está aí mesmo, do seu lado esquerdo, perto da janela aberta. Está sorrindo para você e garantiu que tudo se dará de modo suave.

Ele não conseguiu mais pronunciar nenhuma palavra e chorou copiosamente de alegria.

Quando terminamos o terço, entrou no quarto uma mulher que alegou ser a acompanhante do doente e ficou assustada com a minha presença, pois não era horário de visitas. Perguntou pela enfermeira que deveria estar lá, cuidando de F. durante sua ausência. Eu não sabia do que ela estava falando. Apenas me identifiquei e pedi que avisasse à família que eu estivera lá rezando com ele.

No dia seguinte, recebi uma ligação da mesma parente de F. Ela contou que ele conseguira atravessar todo o dia, que estava muito sereno, mas havia acontecido um fato inusitado, pouquíssimo antes do falecimento.

Perguntei se tinha ocorrido algum acidente. Ela, então, narrou o seguinte:

– Ele havia passado um dia muito tranquilo. De madrugada, começou a se agitar e a apontar na direção dos pés, mas ninguém conseguia entender o que ele queria dizer. Em certo momento, F. respirou fundo e conseguiu, com um fio de voz, perguntar se as pessoas ao redor não estavam sentindo o perfume das rosas. Ficamos todos confusos: perfume de rosas? No quarto do hospital, onde não havia flor? Pensamos que estava delirando, mas ele, firme, voltou a apontar para o mesmo lugar e, lúcido, afirmou que Nossa Senhora se achava lá aos pés de seu leito. Logo depois, faleceu.

F. me deu um grande exemplo de fé: queria ver Nossa Senhora e, o mais importante, acreditava que isso era possível, pois tinha um amor verdadeiro pela Mãe de Jesus e o declarava para quem quer que fosse. No último dia que teve sobre a terra, Maria, com as rosas que ele por tantos anos havia depositado a seus pés, apareceu para F. Uma vitória sensacional!

Ao desligar o telefone, veio à minha mente a carta de São Tiago (capítulo 1, versículos 6 a 8): "É preciso pedir com fé, sem duvidar, porque aquele que duvida é como a onda do mar, que o vento leva de um lado para outro. Quem é assim, não pense que vai receber alguma coisa do Senhor, pois é indeciso e instável em tudo o que faz."

F. demonstrou que tinha grande fé. Se alguém, todavia, perguntasse a ele o que era a fé, não saberia defini-la. Pouco importava! O que realmente vale para Deus é o seu exercício diário, e não um mero conceito. Algumas vezes, quando enalteço a importância da fé, há gente que não consegue compreendê-la e questiona se é um tesouro tão valioso assim.

Costumo reafirmar sua grande valia e gosto de provocar:

– Alguém saberia explicá-la com exatidão?

Às vezes, aparece algum letrado que me apresenta postulados de homens sábios a respeito do tema. Logo que indago como se faz para aplicar a teoria, não recebo resposta. Percebi que conhecer definições sobre a fé não é pré-requisito para tê-la no coração.

Muita gente gosta de proclamar as belas palavras de São Paulo: "A fé é um modo de já possuir aquilo que se espera, é um meio de conhecer realidades que não se veem" (Hebreus 11, 1). Suas vidas, contudo, não as refletem! Se os problemas se apresentam, sucumbem à tristeza, não encontram uma saída. Por isso, não me canso de repetir nas reuniões do terço que, quando alguém reza com fé, age como se já soubesse que vai receber o que está pedindo a Deus. Tem a certeza de que vai vencer, não importando quão ruim é a situação atual.

Sem a fé, as palavras daquele que faz uma oração caem no vazio. Com a fé, serão alçadas ao mais alto, subindo pelas mãos dos anjos de Deus, sendo entregues na Sala do Trono do Pai. Serão flechas de fogo que atingirão, certeiras, o alvo. Ter fé é uma virtude das mais apreciadas por nosso Criador. Devemos cultivá-la e fortificá-la um pouco mais a cada dia.

3. Rezar sem deixar de agir

Advirto os meus leitores de que a fé, sozinha, não basta! Não é correto ficar de braços cruzados à espera da graça pretendida, sem agir de acordo com o que desejamos ganhar.

Exemplifico com minha própria vida: nos meses iniciais de 2013, precisava obter algo que parecia humanamente impossível. Adotei todos os procedimentos indicados no mundo material para atingir meu objetivo. Nada pareceu funcionar. Vendo que a situação era muito desfavorável, passei a rezar o terço todos os dias por aquela intenção. Além disso, sempre que podia, ia à missa durante a semana. Na hora do ofertório, sempre repetia o mesmo pedido ao Mestre: que cuidasse com carinho do meu caso.

O tempo passava e a questão parecia perdida. Em uma sexta-feira de manhã, eu caminhava em direção ao trabalho, como de hábito, rezando o rosário. Ao passar pela porta principal do Fórum, no centro da cidade do Rio de Janeiro, vi um homem de túnica bege com uma faixa marrom na cintura me observando da porta da Igreja de São José.

Como eu estava muito concentrado na oração, não dei muita importância ao fato e segui em frente. O homem não arredou pé e calmamente esperou que me aproximasse para formular um convite:

– Não quer entrar na minha igreja?

"Minha igreja?!", pensei comigo, olhando-o nos olhos.

– Bem que achei que o conhecia de algum lugar... São José! – exclamei após um breve instante, impressionado com minha falta de atenção.

Claro que nenhum homem estaria trajando vestes tão antiquadas àquela hora do dia! Meu problema me aborrecia tanto que estava nublando minha mente. Podia contar nos dedos de uma das mãos as aparições de São José a mim. Era fato raríssimo!

– Não estou feliz com o modo como o reino celeste está me tratando, São José. Preciso muito dessa graça e vocês parecem ignorar meu pedido há meses! Humanamente, já fiz tudo o que estava ao meu alcance. Nada aconteceu! Que diferença pode fazer entrar na sua igreja para rezar se já entrei em tantas outras e não consegui meu objetivo?

Minha desilusão era grande com o rumo dos acontecimentos.

– A diferença é que hoje vim acompanhá-lo em sua oração. Venha comigo! – insistiu.

Confesso que nunca fui de frequentar aquela igreja, pois é uma das atrações turísticas do Centro e vive quase sempre recheada de visitantes barulhentos que espocam os flashes de suas máquinas fotográficas para todos os lados. Prefiro lugares mais calmos para entregar meus pedidos a Deus.

De qualquer forma, resolvi entrar. O silêncio era incrível. As luzes artificiais estavam apagadas e, apesar de ser de manhã, havia uma penumbra aconchegante. A iluminação era providenciada pelas velas acesas no altar. Vi em seu interior uma única moça de joelhos, concentrada em sua oração num dos bancos à frente do altar. Ajoelhei-me diante do

Santíssimo ao lado de São José. Fiz de novo meu pedido. Ao terminar, ele sorriu e me disse que a graça de que necessitava chegaria em uma data dele!

Em 19 de março, dia em que a Igreja Católica comemora o santo, recebi a graça. Em agradecimento, dediquei ao protetor do Menino Jesus o terço do dia 1º de maio, dia de São José Operário, em São Paulo, no Santuário Nossa Senhora Mãe dos Aflitos. Percebi como o povo o festejou. São José é muito amado por todos! No fim das contas, a fórmula **oração + ação** deu excelente resultado para mim.

Outro exemplo foi o de uma mulher, H., que frequenta há muitos anos meu grupo de oração. Desde os 21 anos, ela é portadora de uma doença degenerativa, a esclerose múltipla. Quando foi diagnosticada a enfermidade, os médicos a informaram que, mesmo tomando os medicamentos adequados, provavelmente ficaria impossibilitada de andar e executar outros movimentos antes dos 30.

Como tinha enorme fé, em especial em Nossa Senhora, frequentava o terço com determinação em busca de cura. Ainda assim, em momento algum deixou de tomar toda a medicação devida e seguir as determinações dos especialistas. O resultado é que hoje, já com 40 anos, continua a caminhar com as próprias pernas e não perdeu os demais movimentos. A doença a limitou um pouco, mas continua tendo controle sobre sua vida.

Infelizmente, ainda encontro pessoas que, padecendo das mais diversas doenças, me dizem que não precisam tomar os remédios indicados pelos médicos, pois sua fé seria suficiente para curá-las (o comportamento costuma ser mais frequente com os que precisam de tratamento psiquiátrico).

Outros, de forma absurda, pensam que tomar qualquer tipo de medicação é sinal de fraqueza! Deus nos deu grandes progressos na medicina para serem utilizados. As mentes dos cientistas foram iluminadas pelo Criador – pouco importando se parte dos pesquisadores e estudiosos não acreditam em Deus – a fim de dispormos de recursos para mantermos ou recuperarmos nossa saúde. Não podemos transformar a fé em sustentáculo de nossa ignorância e soberba.

Conto esses fatos para que a fé não se torne pretexto de tibieza nem de preguiça: Deus não quer filhos inertes. Ela não pode também ser desculpa para a irresponsabilidade. O ser humano não pode transferir tudo para Deus, dando de ombros e aplicando a famosa frase "Deus é quem sabe, está tudo nas mãos dele, não posso fazer nada", que já ouvi inúmeras vezes.

Nosso Pai Celeste nos observa e quer ação. A fé sem os atos não será eficiente para conferir vitória, como nos alerta a carta de São Tiago (capítulo 2, versículos 14 e 17): "Meus irmãos, se alguém diz que tem fé, mas não tem obras, que adianta isso? [...] Assim também é a fé: sem as obras, ela está completamente morta."

É preciso trabalhar duro para conseguir o que se deseja. Deus gosta de nos ver em movimento, sem acomodação. Costumo falar aos estudantes que não basta rezar e esperar a vaga nos concursos públicos cair do céu. É necessário estudar com afinco e seriedade. A oração é um complemento que confere maior probabilidade de êxito.

Como diz São Paulo, "um atleta não receberá a coroa se não tiver lutado conforme as regras" (2 Timóteo 2, 5). Para nós, a regra é simples e antiga, mencionada pelo próprio Deus Pai a Adão, como se depreende de Gênesis 3, 19: "Você comerá seu pão com o suor do seu rosto, até que volte para a terra, pois dela foi tirado."

Não espere, pois, facilidade nas etapas de sua vida que precisam ser enfrentadas. Devemos combinar fé com ação. Precisamos mostrar a Deus o suor do nosso rosto! O caminho é árduo, mas não há outra forma de evoluir espiritualmente. As regras divinas se aplicam a todos os seres humanos, crentes ou não.

Ninguém gosta de sofrer. Quando pergunto a alguém se aceitaria escolher o caminho do sofrimento para atingir o crescimento espiritual, a resposta é sempre negativa. Mas nós que estamos há muito tempo na caminhada sabemos que é possível tirar grande proveito das nossas dores. Por mais indesejável que seja, uma crise pode ser a "desculpa de Deus" para fazer com que coloquemos em prática a fórmula sugerida neste capítulo. Se estiver vivenciando algo assim, aproveite seu livre-arbítrio, tome a iniciativa e ataque o problema por todos os lados – material e espiritual. O resultado lhe será favorável. Nunca desista!

Por fim, é bom que se explique algo: Deus é muito paciente, mas chega uma hora em que não aguenta mais ver seus filhos sem ação. Então, permite que certas coisas – que, aos olhos humanos, são consideradas boas ou más – aconteçam para que seus alicerces estremeçam e eles se ponham a atuar para mudar a situação. A pedagogia divina é muito mais inteligente do que nossa pouca capacidade para pensar com clareza em meio aos problemas. Não deixe que sua vida chegue a esse ponto. Não se mantenha passivo em seu sofrimento.

4. Rezar com o coração

Outra orientação importante é rezar com o coração. Significa colocar suas emoções e intenções focadas no mesmo objetivo, sem titubear ou se desviar da graça que almeja obter. Em Atos dos Apóstolos 11, 23, podemos compreender a relevância dessa atitude na seguinte passagem: "Quando Barnabé chegou e viu a graça de Deus, ficou muito contente, e os animou a permanecerem de todo o coração ligados ao Senhor."

Não pense o leitor que só homens e mulheres de grande intelecto podem avançar nessa prática. No contato com Deus, não importa a inteligência da pessoa. Um dos maiores santos da Igreja Católica, São João Maria Vianney, o Cura d'Ars, era intelectualmente limitado, mas com um potencial espiritual fantástico. Só para se ter uma ideia de como o Pai Celestial o amava, mesmo passados tantos anos de sua morte, em 1859, seu corpo continua intacto até os dias atuais, *incorruptível*. Qualquer um que visite a pequena cidade de Ars, perto de Lyon, na França, pode constatar tal fato, já que o corpo do santo se encontra em exposição junto ao altar da igreja local. Dá a impressão de que o falecido místico está dormindo tranquilo, como se o tempo nada significasse!

Como o Criador é justo, seria um contrassenso imaginar que somente as orações mais bem elaboradas ou as mais belas tocam seus ouvidos, produzindo os milagres desejados. É comum encontrarmos pessoas quase sem instrução ou com pouca capacidade de raciocínio que costumam obter sucesso através de suas rezas. Por quê?

Há uma passagem bíblica que traz um bom exemplo, no capítulo 38 do Livro de Isaías. O grande profeta foi enviado por Deus ao rei Ezequias, que estava em seu leito, com uma enfermidade mortal. Isaías, ao adentrar o quarto do monarca, foi direto ao ponto: "Ponha em ordem a sua casa porque você vai morrer, não vai escapar." Imaginem o terror que tomou conta de Ezequias! Quando se viu sozinho, não querendo falecer naqueles dias, virou o rosto para a parede e fez uma oração que brotou do fundo do coração: "Ah! Javé! Não te esqueças: eu procurei sempre andar na tua presença com toda a fidelidade e de coração limpo, e procurei sempre fazer o que era bom aos teus olhos."

O rei chorou convulsivamente e pediu pela sua vida de forma muito simples; não havia nada de imponente nas suas palavras. Muito pelo contrário: podemos verificar seu conteúdo pouco elaborado e dramático, que demonstra o desespero do homem à beira da morte.

A Bíblia nos conta que, após o evento da oração do rei, Javé veio a Isaías e lhe mandou voltar à presença de Ezequias com uma mensagem. Havia ouvido a oração do rei, bem como visto suas lágrimas, por isso decidira aumentar em quinze anos a duração de sua vida, além de livrar sua cidade das mãos do rei da Assíria, dando-lhe proteção especial.

Ao final de um dos terços que conduzi em 2012, em São Paulo, uma mulher, C., veio falar comigo:

– Pedro, sempre que você vem aqui rezar conosco, estou presente. Sou uma pessoa de oração. Também costumo frequentar as missas. Gosto muito das nossas reuniões e, em todos os terços, peço a mesma coisa. Até hoje não recebi a graça de que tanto preciso. – A expressão do rosto dela era sofrida.

– O que você está me contando é algo comum: Deus gosta de ver nossa persistência e fé.

– Verdade. Mas da última vez eu trouxe comigo uma amiga, que mora perto da minha casa. Ela não costuma frequentar a Igreja. Aliás, não tem religião, apenas acredita em Deus e na Virgem Maria. Durante o terço, ficou muito tocada e sentiu pela primeira vez a presença do Altíssimo no coração. Naquele momento, com muita emoção, fez um pedido simples em uma única frase. Você acredita que, na semana seguinte, ela recebeu o que tanto precisava? Um milagre. Por que Deus ouviu a oração dela, que sempre esteve tão afastada dele, mas não deu importância à minha?

– Calma! Deus sempre dá importância às nossas orações. Tanto é verdade que Ele atendeu ao pedido de uma pessoa que, pelo que você está me contando, andava há algum tempo distante dele.

Ela insistiu:

– Mas eu rezo todos os dias pelo que necessito e não recebo! Será que Ele não quer me dar? – Sua voz revelava dúvida.

– Existem alguns fatores para receber uma graça de Deus. Uma coisa posso lhe garantir: sua amiga, percebendo a presença dele, abriu o coração, rezando de modo bem simples. Uma oração carregada de emoção, vibrante, intensa, clara e verdadeira. Talvez aí esteja a diferença entre o que você tem feito e o que ela fez. Pense com calma sobre o que estou lhe falando.

– Será que estou rezando errado? Existe isso? Pedro, tento sempre seguir o que está em meu coração... Não deve ser assim? – C. não se dava por vencida.

– Olha, em primeiro lugar, acho muito questionável isso de seguir o coração! Deus deu um cérebro fantástico ao ser humano, não é? Se seguíssemos somente o que nosso coração deseja, na maior parte do tempo fugiríamos dos desafios que o Criador tem para nós. Nosso coração detesta o sofrimento e não procura entendê-lo.

– Mas, Pedro, você disse que era preciso rezar com o coração...

Ela não tinha entendido mesmo o que eu quis dizer.

– Pois é. Rezar com o coração é diferente de seguir o coração. É colocar toda a alegria ou sofrimento em cada intenção que apresenta a Deus, com toda a concentração!

Ela balançou afirmativamente a cabeça e saiu feliz para casa.

O interessado em receber um milagre deve estar decidido a vencer. Saber com exatidão aquilo que se quer ganhar é algo importantíssimo. Mas não basta apenas a resolução da mente e do espírito. Não quero dizer que seja preciso gritar ou chorar ao rezar. Boas orações podem ser feitas de boca fechada, já que os sentimentos não precisam ser externados. Quem reza precisa derramar seu coração em cada palavra ou pensamento proferido a Deus. A pessoa que assim faz possivelmente obterá êxito. O coração estará sempre atuando em sua missão de vitória.

5. Rezar com a consciência de que Deus não é comerciante

Não podemos nunca nos esquecer de que Deus não é um comerciante. O mundo celestial não é um grande balcão de negócios. Uma pessoa pode oferecer uma oração eventual ou um sacrifício decorrente de uma promessa em troca de uma graça divina, mas isso não garante um bom resultado. Quem busca se aproximar do Criador por puro interesse, descartando depois a convivência com Ele, não tem grandes chances de ser agraciado ou de alcançar, no futuro, outra graça, além daquela já recebida.

Deus quer ser amado por nós, quer nossa amizade. Suas benesses são gratuitas para aqueles que o amam. Deseje se tornar amigo de Deus: será infinitamente mais fácil receber os presentes dele! Nosso Pai Eterno é generoso. Veja o que diz a carta de São Tiago (capítulo 1, versículo 5): "Se alguém necessita de sabedoria, peça a Deus, e ele a dará, porque é generoso e dá sem impor condições."

Tratar o plano espiritual como um comércio, ao contrário do que muitas pessoas pensam, entristece Deus. Basta ler uma passagem do Evangelho: "Jesus entrou no templo e expulsou dali todos aqueles que se entregavam ao comércio. Derrubou as mesas dos cambistas e os bancos dos negociantes de pombas" (Mateus 21, 12). Nota-se que o

Mestre foi bastante duro com aqueles que confundiam o espaço pertencente a Deus com local de negócios.

Não devemos cair nesse erro, pois Deus não vende milagres. Como afirmei antes, Ele os faz de graça aos que são seus amigos. Superstições, que envolvem trocas, também não adoçam seu coração.

É muito comum, infelizmente, ver pessoas que difundem certas "correntes de oração", como se fossem a solução para grandes problemas e que operam por meio de um escambo espiritual. Um exemplo pode esclarecer o tema. Certo dia, uma pessoa abre sua caixa de e-mails ou encontra um panfleto no banco da igreja e depara com a seguinte mensagem: "Se quer ganhar a graça X, reze sete pais-nossos e sete ave-marias, passando estas diretrizes para mais quatro pessoas queridas. Não quebre esta corrente!"

A pessoa pensa que, obedecendo às instruções, receberá a graça desejada. A lógica desse mecanismo é de compra e venda: a graça seria vendida no balcão de negócios do mundo espiritual pelo preço de fazer catorze orações mais empurrar o conteúdo da panfletagem para outros.

Analisando friamente a situação, constata-se um verdadeiro absurdo! Para se divertir com a superstição alheia, alguém arbitra o número de vezes que se deve rezar uma determinada oração. E ainda manda que se passe a ordem para mais supersticiosos.

Esqueça toda e qualquer fórmula supersticiosa para alcançar um milagre e comece a cultivar uma vida espiritual diária. Nada de "correntes de oração"! Não temam ignorar essas mensagens enviadas de forma aleatória: não passam de enormes bobagens. No momento em que você precisar da sua fé e de seus clamores para tocar o coração de Deus, sua força estará presente. Ele vai atender o pedido, pois já conhece você e sabe que você o ama.

Se você tiver muito receio nessas situações, pensando, por exemplo, que estará prejudicando alguém ou que algo de ruim vai lhe acontecer por desobedecer a "ordem", domine-se e lembre-se da oração ensinada em Fátima pelo Anjo da Paz aos pequenos pastores: "Meu Deus! Eu creio, adoro, espero e amo-vos. Peço-vos perdão para os que não creem, não adoram, não esperam e não vos amam." Recite-a na intenção daquele que iniciou a corrente. Quem tem verdadeiro amor e confiança em Deus não precisa de nenhum tipo de fórmula supersticiosa.

Quando deparo com esse tipo de panfletagem de mau gosto, rejeito-a e entrego nos braços do Pai todas as pessoas que participam dessa prática infeliz.

6. Rezar com a compreensão de que Deus tem um plano para nós

No Evangelho, Jesus nos diz algo muito interessante: "Todo aquele que faz a vontade do meu Pai que está no céu, esse é meu irmão, minha irmã e minha mãe" (Mateus 12, 50). Note a posição de destaque atribuída pelo Mestre a quem consegue pôr em prática aquilo para que foi enviado à Terra.

Estamos no mundo por um propósito. Devemos ser lapidados pelas diversas situações que enfrentamos para, um dia, chegarmos à Cidade Celeste, onde vivem os santos. É seguro afirmar que Deus tem um plano para cada um de nós. Ele sabe quais desafios precisamos encarar para evoluir espiritualmente, obtendo sucessos ou fracassos.

Ocorre que, algumas vezes, o que pedimos a Deus não se encaixa no plano divino. Isso se deve à nossa "cegueira espiritual" e o resultado é que não recebemos o que desejamos. Ele sabe que não nos faria bem, pois nos desvirtuaria do caminho traçado. Dessa forma, São João nos ensina, em sua Primeira Carta (capítulo 5, versículo 14): "Ao nos dirigirmos a Deus, podemos ter esta confiança: quando pedimos alguma coisa conforme o seu projeto, Ele nos ouve."

O grande problema, portanto, é saber se estamos no rumo certo, dentro daquilo que Deus espera de nós, ou em rota equivocada. O que fazer? Perguntar a Ele. Como tenho dito, Deus quer ser amigo íntimo de cada ser humano. Ora, não há amizade sem diálogo. Todas as vezes que estivermos em dúvida com relação a um caminho, devemos ter a iniciativa de indagar ao Criador: "Pai, estou no rumo certo?"

Claro que não é uma tarefa simples. Formular a pergunta enquanto se reza não é a parte difícil. O problema é compreender a resposta. Pessoas que frequentam meu grupo de oração costumam reclamar (e muito!) da dificuldade de entender a resposta de Deus para suas vidas. Dizem: "Pedro, para você é muito fácil, você vê e ouve o mundo espiritual. Os anjos e santos podem lhe falar exatamente o que fazer e quando. Para nós, é complicado entender o que está, de fato, se passando."

Apesar de haver certa lógica nesse discurso, posso garantir que nunca encontrei facilidade na minha caminhada, ao contrário do que pensam alguns. Por diversas vezes, atravessando situações de grande dificuldade, procurei respostas no mundo espiritual, questionando o meu anjo da guarda e os santos que me acompanham, sem obter nenhuma resposta direta.

Enfrentei, inclusive, circunstâncias extremas, em que não consegui captar o que Deus queria de mim. É preciso ter em mente que, em alguns momentos, Deus se mantém silencioso; faz parte de sua pedagogia com a raça humana. Quando isso acontecer, não se desespere! Não significa que o Criador tenha abandonado você, mas que deseja ver como você age sozinho. Continue se esforçando para que sua comunicação com Nosso Senhor se aprimore cada vez mais.

Uma vez, lembro bem, me queixei a I. porque, diante das minhas perguntas, ele apenas me observava em silêncio, sereno, sem expressão alguma no rosto:

– Todos os dias lhe faço a mesma pergunta, I. Quando você vai me dar uma resposta? Só fica parado me olhando, sempre com a mesma cara! Quero entender o que está acontecendo. Preciso saber como devo atuar. Você não vê que tenho urgência em encontrar uma solução?

– Se o Criador decidiu que você deveria vir ao mundo e atravessar todos os obstáculos por que está passando, há uma razão muito boa para isso. Não posso dizer a você qual é. Do contrário, qual seria o valor da sua provação? Se eu lhe contasse como evitar o sofrimento ou se livrar dele, onde estaria sua evolução espiritual? Você não é diferente dos demais que vêm ao planeta. Enfrente a dor com dignidade e se esforce em achar uma saída compatível com sua espiritualidade! – explicou meu amigo angélico durante uma missa de domingo.

O leitor pode estar pensando que é melhor, diante de tantas complicações, nunca mais perguntar nada a Deus. Talvez tenha interpretado a experiência que narrei como negativa. Não se trata disso! Eu a contei para mostrar que estamos todos no mesmo barco: místicos, céticos, videntes ou não. Deus gosta de ser abordado com nossos questionamentos. Por diversas vezes, é bom que se diga, meu anjo me respondeu com palavras ou sinais. Outras vezes, Deus se utilizou de pessoas comuns para me dar alguma diretriz importante. O relevante é estar aberto ao contato com Ele a todo instante.

7. Rezar observando os sinais de Deus

Para abrir este item, quero deixar bem claro que, no mundo em que habitamos, não há coincidências. Sem superstições, é possível dizer que, praticamente todos os dias, há sinais de Deus para nossa vida. Algumas pessoas conseguem entendê-los, outras ficam perdidas. Na Bíblia, podemos encontrar exemplos interessantes, como o de José no Antigo Testamento.

Tendo sido vendido a mercadores egípcios por seus irmãos, na condição de escravo, José percebeu, depois de muito sofrimento e quando já ocupava um cargo de destaque, que tudo o que lhe havia acontecido tinha sido obra de Deus. Ele soube interpretar corretamente os sinais que o Todo-Poderoso lhe enviou.

Vejam a sábia declaração que esse homem faz aos seus irmãos, por ocasião do reencontro da família, quando eles já o davam por morto: "Agora, não fiquem tristes nem se aflijam porque me venderam para este país, pois foi para lhes preservar a vida que Deus me enviou na frente de vocês. De fato, há dois anos que a fome se instalou no país, e ainda haverá cinco anos sem semeadura e sem colheita. Deus me enviou na frente de vocês, para que possam sobreviver neste país, salvando a vida para uma libertação maravilhosa. Portanto, não foram vocês que me mandaram para cá. Foi Deus. Ele me tornou ministro do faraó, administrador de todo o palácio e governador de todo o Egito" (Gênesis 45, 5-8).

Há uma grande vantagem para a pessoa que segue sua vida identificando os sinais que provêm dos céus. José foi traído pelas pessoas de seu próprio sangue. Mas em momento nenhum esmoreceu. Percebeu que Deus estava com ele e lhe presenteara com um dom, mediante o qual chegou a um posto de altíssima patente, em uma terra estrangeira. Acolheu depois os de sua própria pátria, inclusive os que o haviam traído, para que não enfrentassem destruição e fome. Fez uma leitura perfeita dos sinais do Pai.

A comunicação espiritual é algo muito peculiar. Temos a tendência de nos revoltar contra Deus quando as coisas que planejamos não dão certo. Logo pensamos que fomos abandonados, que ter fé de nada vale. Nós nos esquecemos de ler as "placas de sinalização" que o Criador coloca em nossos caminhos. Por que isso acontece?

Os seres humanos, em sua grande maioria, se acostumaram a se comunicar através da fala. Aprenderam, ainda bebês, a formar as sílabas, emitindo diversos sons. As crianças começam pronunciando palavras avulsas para, mais tarde, formarem frases inteiras, atingindo o estágio da linguagem fluente. O que difere disso é tratado com desconfiança e desconforto.

O mundo espiritual não apresenta necessariamente essa configuração. Quando algum santo (ou seja, um daqueles que já partiram da terra e se encontram na Morada Celeste) se comunica comigo, pode fazê-lo por telepatia, no plano mental, sem que os lábios se movam; por imagens, como se um filme passasse na minha mente; por símbolos que surgem diante de meus olhos ou apenas na cabeça; ou mesmo por palavras. Não há uma fórmula única.

Nesse momento, o leitor deve estar se perguntando: "E quem não tem o dom de ver ou ouvir o 'outro mundo'? Como fazer para receber uma mensagem do plano espiritual?"

Por meio dos sinais. Imagino que os leitores deste livro continuam a questionar: "Que tipo de sinais?"

Qualquer um! Essa é a resposta mais adequada. "Qualquer um?!"

Como vivemos em uma era de inovações tecnológicas, Deus pode se comunicar com uma pessoa até mesmo por e-mail. O leitor, agora, deve estar pensando: "Que proposição absurda!"

Posso discorrer sobre um excelente exemplo, que aconteceu com uma amiga minha, S. Ela me narrou sua belíssima experiência por telefone:

– Estava em oração numa igreja quando vi aparecer no teto a imagem de uma bela mulher loura. Ela estava vestida como uma freira, mas tinha uma capa dourada por cima do hábito. Fiquei em dúvida sobre quem seria. Sabia que não era Nossa Senhora, mas não a identifiquei. De repente, veio em minha cabeça: esta é Santa Hildegarda. Ora, eu nunca ouvira falar de nenhuma santa católica com este nome. Ao chegar em casa, entrei na internet para ver se descobria alguma coisa sobre ela. Antes, porém, resolvi olhar meus e-mails. Para minha grande surpresa, lá estava um, de uma pessoa que não reconheci, que se referia a essa santa! Fiquei toda arrepiada. Imediatamente, senti a presença dela. Então, abri um site católico, onde colhi informações interessantes a respeito de Hildegarda. Entendi que a espiritualidade e a obra dela eram a resposta que eu buscava de Deus naquele momento.

Os céticos vão pensar: "Ora, isso não passa de uma coincidência. Quanta besteira, Pedro!" Os sábios, por seu lado, perceberam a delicadeza de Deus: usou o e-mail de uma pessoa desconhecida que, por engano, acabou endereçando a mensagem à S., para dar uma resposta a duas questões levantadas por minha amiga: quem era a mulher loura da visão que tivera na igreja e como deveria proceder com a missão em sua cidade.

– Pedro, para a maioria das pessoas, que não têm seu dom, Deus fala através dos sinais, que estão presentes nas coisas simples, que acontecem no dia a dia – me disse, certa vez, uma senhora na saída do grupo de oração.

Balancei a cabeça afirmativamente. Ela tinha toda a razão: o Pai Celestial adora se comunicar através dos sinais.

Conheço um homem, M., que, em determinado ponto de sua vida, precisava muito de uma graça de Deus. Apesar de ter vários compromissos e viajar bastante, insistia em seu pedido. Como é devoto de Santa Teresinha, ao visitar Lisieux, cidade onde ela viveu, pediu-lhe que intercedesse junto a Deus por sua causa. Ouviu, lá na França, que, quando a santa atende a oração, manda rosas como sinal.

De modo divertido, M. falou que tratou aquela informação com muita desconfiança:

– Que história era aquela? Receber rosas como sinal? Pensar que tal fato era verdadeiro até me alegrava um pouco, pois significava que muita gente tinha recebido da santa as rosas e as graças que queriam. Mas, analisando melhor o fato, havia nele algo que me entristecia.

Perguntei o quê.

– Sou homem! Quem iria mandar rosas a um marmanjo como eu?! Não ficaria nada bem... Meu pedido estava fadado ao fracasso.

Comecei a rir e quis saber se aquilo o fizera desistir da intercessão de Teresinha.

– Claro que não! Precisava demais receber aquela graça. Apesar da barreira que eu mesmo impus, senti no coração que, de alguma forma, minha querida santa iria dar um jeito de me atender.

Achei aquela resposta fantástica. Revelava que, apesar dos bloqueios que o ser humano impõe à comunicação espiritual, Deus pode encontrar meios de falar à sua mente, desde que a fé da pessoa abra as portas para receber seus sinais.

– Teresinha deu um jeito? – indaguei, curioso. – Mandou algumas rosas?

– Calma, Pedro. Já vou chegar lá! Quero, antes de tudo, dizer que, na necessidade em que me encontrava, preferi não brigar com a santa. Aceitaria, de bom grado, receber rosas. Assim, decidi aguardar alguns dias para ver o que acontecia antes de reclamar com ela.

O tempo foi passando e nada de o sinal surgir. Uma noite, ao dar entrada em um hotel, muito angustiado com a falta de resposta do plano espiritual, ele subiu ao quarto para dormir e pegou a chave para abrir a porta. Como era um lugar moderno, bastava inserir um cartão em um pequeno leitor que ficava abaixo da maçaneta. Uma luz verde se acendeu e M. entrou. Sentou-se na cama, cansado. Estava chateado, pois chegara à conclusão de que a santa não dera atenção à sua dor. Imediatamente, sentiu algo diferente acelerar seu coração e correu para pegar o cartão com que abrira havia poucos instantes a porta. Nele estava o sinal!

Na parte da frente, encontrava-se o logotipo do hotel onde estava hospedado. No verso, havia uma bela rosa vermelha estampada! Emocionado, ele reconheceu que Santa Teresinha estava, naquela noite, lhe dando uma resposta afirmativa à sua questão.

De fato, pouco tempo depois, M. recebeu sua graça.

– Muitas vezes, estamos tão bitolados que não conseguimos conceber que os sinais de Deus possam vir de diversas formas. Queremos que Ele nos dê apenas o sinal que esperamos. Foi como aconteceu comigo. Pensei que precisava receber uma rosa real para ter uma resposta positiva. Deus, através de Santa Teresinha de Lisieux, me surpreendeu. Mandou-me uma rosa estampada em um cartão de hotel! – me explicou, todo feliz.

Os sinais divinos podem vir também por intermédio de um SMS ou por um animal. Um exemplo com ambas as coisas aconteceu comigo. Minha mulher estava no final da gravidez, em agosto de 2011. Tudo corria bem e ela tinha marcado uma ultrassonografia para o fim daquele mês. Esperávamos a chegada de nosso filho em setembro.

Já havíamos decidido o nome do menino no dia em que o sexo fora confirmado por um exame médico: ele se chamaria João Antônio, em homenagem a meu querido amigo e diretor espiritual. Além disso, era um tributo ao Evangelho mais "espiritual" da Bíblia, o de São João, bem como ao grande doutor da Igreja Católica, o místico Santo Antônio de Pádua.

Alguns meses antes, havíamos contado ao frei Juan Antonio que a criança teria seu nome. Ele disse que rezaria para que o pequeno nascesse no dia de seu aniversário: 19 de agosto!

– Esquece, frei: a previsão é para um mês após essa data. Depois de 19 de agosto, ainda há uma ultrassonografia a fazer. A médica falou que está tudo dentro dos conformes – expliquei.

– Nada, *hombre*, você vai ver! Em 19 de agosto, no início do século XX, como você bem sabe, em Fátima, houve o milagre do sol, em uma bela aparição de Nossa Senhora. Eu nasci nessa data especial, alguns anos depois da aparição de Maria Santíssima, e o meu xará também nascerá, pois pertencemos à Virgem Maria – profetizou o padre.

Eu e minha esposa interpretamos isso como mais uma brincadeira, pois ele é extremamente bem-humorado e alegre.

Quando se iniciou a semana do dia 19 de agosto, frei Juan Antonio ligou para minha mulher:

– E então, menina? Já arrumou as malas para a maternidade?

Ela riu outra vez, pensando se tratar de uma piada. Ele insistiu:

– Meu aniversário está chegando e o bebê também!

Incansável, o sacerdote resolveu avisá-la novamente sobre o momento do parto. Desta vez, mandou a seguinte mensagem para seu celular: "Nesta sexta-feira, 19 de agosto, *surprise*!"

Naquela semana, por um momento, fiquei preocupado e pensei: "Será que frei Juan Antonio está mesmo pedindo a Deus que meu filho venha no dia do seu aniversário? Estamos preparados para recebê-lo somente em setembro. E se o Criador resolver atender às preces do padre?"

Concluí com minha esposa que isso era pouco provável.

Então, chegamos ao dia 18 de agosto. Acordei cedo e fui lecionar. Enquanto estava em sala de aula, senti o celular vibrar no bolso da calça. Olhei-o para ver que mensagem havia chegado. Era o bom frei: "Amanhã, se prepare para a chegada de João Antônio!"

Tive que segurar o riso diante da classe.

O dia transcorreu sem que nada de extraordinário acontecesse. Quando cheguei em casa, de noite, minha esposa estava bem. Jantamos e, algum tempo depois, fomos dormir. Por volta de 23h30, nosso cachorrinho, que dorme em uma pequena cama ao lado da nossa, começou a agir de modo estranho. Levantou-se, foi até perto da minha esposa, sentou-se e se pôs a olhá-la fixamente.

"Vuff, vuff, vuff!", eram os sons que ele emitia. Não chegava a ser um latido, pois, inteligente, sabia que era tarde e não podia incomodar os vizinhos.

– Rapaz, fique quieto! Assim, vai acordar todo mundo – dei uma bronca nele.

Sem se intimidar, ele continuou a chamá-la.

– Meu amor, pode ser que ele esteja com fome. Traga o potinho de comida dele para ver se ele para com isso – pediu minha mulher, cheia de sono, sem abrir os olhos.

Levantei-me, fui até a cozinha e coloquei a ração no pote. Levei para o quarto e o chamei:

– Olhe aqui sua comida. Agora, coma tudo. Pare de ficar nos chamando, entendeu?

Ele me olhou, percebeu o pote de ração e não se moveu.

– Parece que ele não está com tanta fome... Nem se mexeu! – comentei.

Os minutos passavam e o pequeno poodle não parava de fazer barulho, sentado, fitando minha esposa.

– O que será que ele tem? – quis saber ela.

– Não faço a menor ideia. Desisto de tentar entender. Ele nunca ficou assim...

Ainda meio dormindo, ela virou-se de lado e o chamou.

– Ah, não! – gritou ela, me dando um susto.

– O que foi? – preocupei-me.

– A bolsa estourou! Ligue para a médica agora!

Como um louco, peguei o telefone e comecei a discar.

Depois das instruções dadas e da correria fazendo uma mala para levar à maternidade, minha mulher esbravejou:

– O frei me paga!

Naquele momento, senti um tremendo frio na barriga. Como era possível Deus trazer ao mundo uma criança na data escolhida por um sacerdote só porque ele tem o mesmo nome?! Nunca tinha ouvido semelhante história.

Muito perturbado com a confusão, olhei o relógio. Acabara de passar da meia-noite: era o dia 19 de agosto de 2011.

– Estou toda molhada. Corre, Pedro!

Saímos de casa desabalados.

Depois de um tempo, com ela já internada em um dos quartos, a obstetra nos comunicou que o parto não poderia ser natural. Às três e meia, minha esposa foi levada para o centro cirúrgico. No instante em que a maca a carregava, liguei para frei Juan Antonio:

– Que bom que está acordado, *hombre*!

– Então? Diga, *hombre*!

Pela forma como atendeu o celular, dava para ver que ele já sabia.

– Já que foi você quem fez toda essa bagunça, reze aí! Ela está indo para o centro cirúrgico. A cesariana vai começar daqui a pouco.

Ele gargalhava de alegria do outro lado da linha.

– Perdi a conta de quantas vezes avisei a vocês, mas me ignoraram – disse, triunfante, e acrescentou: – Sabe de uma coisa? Eu também nasci na madrugada de um 19 de agosto!

Era demais para mim: tive que rir muito!

Até mesmo devotos com anos de caminhada podem ser surpreendidos por Deus. Certa vez, fui muito bem-recebido em um programa de rádio católico, na cidade do Rio de Janeiro e, ao final da entrevista que concedi, a esposa do meu interlocutor adentrou o estúdio com um enorme sorriso nos lábios. Querendo me resguardar, o marido virou-se para ela e disparou:

– Nada de tietagem com meu convidado!

Em vez de se intimidar, a mulher puxou a cadeira a meu lado e, delicadamente, disse que só iria me contar uma história, algo que lhe havia acontecido durante uma procissão do padroeiro de nossa cidade, São Sebastião. Como adoro ouvir os testemunhos das pessoas, a incentivei.

– Pedro, em determinado ano, não muito distante, o dia estava bem bonito, típico do verão carioca. Apesar de ainda ser cedo, o calor estava muito intenso. Notei que, perto de mim, vinha a imagem da Virgem Maria. São Sebastião estava mais atrás, em outro andor. Não sei explicar por quê, mas quando olhei o rosto da estátua de Nossa Mãe, fiz, de todo o coração, um pedido pela situação grave por que passava meu filho. Tão logo terminei minha oração, vi no céu azul um helicóptero sobrevoando a multidão. De repente, abriu-se sua porta e jorraram pétalas de rosas sobre o povo. Sorri e me perguntei se Nossa Senhora estaria me dando um sinal positivo. Fui retirada dos devaneios por meu marido. Dentro de seus óculos haviam caído pétalas de rosas e ele as retirou, indagando: "Você fez algum pedido, não fez? Com certeza fez e, pelo que entendi, vai ser atendida."

Fiquei impressionado com a delicadeza de Maria Santíssima, que gosta muito das rosas e sempre dá um jeito de usá-las em seus sinais. Não por acaso, um de seus títulos é Rosa Mística.

– E então? Você recebeu a graça? Seu filho se recuperou? – perguntei.

Sorrindo e chorando ao mesmo tempo, ela respondeu apenas:

– Sim!

8. Rezar com persistência

Quem precisa de uma graça não pode esmorecer com as usuais sequências de tentativas fracassadas. Deus gosta de ver perseverança em seus filhos; a luta é diária e constante. Busque sem desistir, pois obstáculos e desânimo sempre estarão à espreita. A boa oração é a que se faz com constância e insistência. Mais uma vez, um conselho de São Paulo: "Sejam constantes na oração" (Colossenses 4, 2).

Ser perseverante é uma qualidade espetacular. A carta de São Tiago (capítulo 5, versículos 10 e 11) menciona que essa era uma das grandes características dos profetas de Deus: "Irmãos, tomem como exemplo de sofrimento e paciência os profetas que falam em nome do Senhor. Nós consideramos felizes os que foram perseverantes. Vocês ouviram falar da constância de Jó e conhecem o fim que o Senhor reservou para ele, porque o Senhor é rico em compaixão e misericórdia."

Minha irmã é médica e trabalha em um hospital público no Rio de Janeiro. Além de clínica geral, tem a especialidade de intensivista, ou seja, atende pessoas em grave dificuldade, em CTIs de hospitais. Certa vez, ela me chamou ao telefone:

– Pedro, há uma mulher aqui que deve ter pouco mais de 40 anos e foi vítima de um acidente. Estou cuidando dela no CTI. Seu estado é gravíssimo. Meus colegas acham que ela nunca mais vai voltar a andar.

Ouvindo aquela história, que, infelizmente, nada tinha de original, fiquei preocupado:

– Vou rezar com afinco. Vamos ver o que Nossa Senhora pode obter. Ela está consciente?

– Ainda não, mas vai ficar. Por uma circunstância incrível, seu cérebro se encontra em bom estado. Penso que ela vai falar normalmente e escrever também. O acidente, pelo que vejo, não vai atingir a capacidade motora. O problema é que, da cintura para baixo, a coisa está muito difícil. Com a oração, é possível que Deus dê uma solução, não é?

Naquele momento, percebi que minha irmã tinha uma fé maior do que a minha! Contra todos os prognósticos sinistros, que ela sabia interpretar melhor do que eu, acreditava em um milagre. Resolvi seguir sua intuição e coloquei o nome da paciente aos pés da minha imagem de Nossa Senhora da Rosa Mística, onde costumo depositar meus pedidos em casa.

Quando a mulher acidentada recobrou a consciência, ficou claro que não apresentava sequelas na fala nem nos movimentos dos membros superiores.

– Pedro, conversei com minha paciente. Ela disse que, pela força da Virgem Maria, tem certeza de que voltará a andar – contou minha irmã, esperançosa.

– Acho que tive um excelente sinal.

– O quê? Você a está vendo recuperada?

– Não.

Não tivera visão sobre o caso até aquela data, mas em meu coração havia um bálsamo de esperança. Minha intuição "gritava" que a vitória estava a caminho.

– Olha, uma pessoa com tamanha força espiritual e fé não será facilmente derrotada por uma paralisia. Já que ela estará em oração conosco, há uma grande chance de sairmos vencedores nesta empreitada.

Um dia, quando me preparava para dirigir o grupo de oração no Rio de Janeiro, meu celular tocou.

– Pedro, você já começou o terço? – perguntou minha irmã.

– Claro que não, do contrário não teria atendido. Mas já estou com o violão pendurado no ombro, com a Bíblia e o terço na mão, pronto para entrar na nave central da igreja. As pessoas já estão em silêncio à minha espera.

– Você vai ver a minha paciente em uma cadeira de rodas na parte da igreja que fica à direita do altar. Ela disse que não vai perder nenhum terço rezado por você e que vai alcançar o milagre.

E lá estava a mulher. Seu olhar transmitia fortaleza, algo inexplicável diante da fragilidade do corpo. Trazia o terço enrolado na mão direita, empunhando-o como uma espada, pronta para lhe trazer a vitória. Sorriu para mim, como que me dando apoio (não deveria ser ao contrário?). Meu coração sentiu de novo aquela intuição a respeito de sua superação.

Ela frequentava todos os meus terços sem se queixar do acidente que sofrera ou do estado em que se encontrava, sempre me cumprimentando com um sorriso. Alguns meses depois, apareceu na igreja andando de muletas, sem auxílio de ninguém! Meu coração quase parou; fiquei extasiado com tal demonstração de perseverança e fé.

Hoje, a mulher já se encontra muito distante do diagnóstico dado pelos médicos. É uma vencedora. Sei que, apesar disso, ela quer mais. Não ouso duvidar de que possa concretizar seus objetivos, já que tem uma força de vontade gigantesca unida à fé, como poucas vezes vi. O corpo pode ter uma aparência frágil, mas seus olhos, como janelas, deixam ver um espírito de aço, inquebrantável. Que grande exemplo!

9. Rezar com gratidão

Em hipótese alguma devemos ser ingratos, pois o nosso Pai Eterno se entristece com isso. Todos os dias recebemos pequenos afagos de suas mãos e seus olhos estão sempre voltados para nós; devemos agradecer, como fazia São Paulo: "Graças sejam dadas a Deus, que nos dá a vitória por meio de nosso Senhor Jesus Cristo" (1 Coríntios 15, 57).

O próprio Cristo se mostra aborrecido quando realiza a cura de dez leprosos e verifica que somente um deles - que nem judeu era, mas samaritano - volta para lhe agradecer. Ele se dirige com tristeza a seus discípulos e ao ex-leproso que havia retornado e questiona: "'Não foram dez os curados? E os outros nove, onde estão? Não houve quem voltasse para dar glória a Deus, a não ser este estrangeiro?' E disse a ele: 'Levante-se e vá. Sua fé o salvou'" (Lucas 17, 17-19).

É certo que enfrentamos situações dificílimas, que nos causam imensa dor. Muitas vezes, as nuvens carregadas que pairam sobre nossa vida parecem não querer se dissipar. Olhamos para os lados e não enxergamos saída para as crises. Mesmo em tais ocasiões, Deus está de olhos e ouvidos abertos para nós. Como é um Pai zeloso, interessado em nos ensinar o que precisamos aprender para um dia voltarmos à Morada Celeste, é com gratidão que devemos encarar essas fases. A oportunidade de evoluir espiritualmente é uma bênção! É a nossa grande chance de habitar, um dia, com o Altíssimo.

O importante é saber que somos testados a todo instante para sermos agradáveis aos olhos do Criador. Como afirmou São Pedro em sua Primeira Carta (capítulo 1, versículos 6 e 7): "Por isso, vocês devem alegrar-se, mesmo que agora, se necessário, fiquem tristes por um pouco de tempo, devido às várias provações. Desse modo, a fé que vocês têm será provada como o ouro que passa pelo fogo."

Não desanimem nunca, não importando o tamanho do sofrimento imposto pela vida. Tenham em seus corações a mesma certeza que tinha São Pedro, nessa mesma carta (capítulo 5, versículos 6 e 7): "Abaixem-se diante da poderosa mão de Deus, a fim de que no momento certo Ele os levante. Coloquem nas mãos de Deus qualquer preocupação, pois é Ele quem cuida de vocês."

Uma situação engraçada aconteceu a uma amiga minha. A. queria mudar de emprego, pois já não suportava mais o ambiente em que estava.

– Pedro, reze para mim – suplicou ela ao telefone, em agosto de 2012. – Não aguento mais o pessoal do trabalho, especialmente minha chefe. Quero um emprego novo. Peça, por favor, aos seus amigos santos que intercedam a meu favor.

– Tudo bem, desde que você também reze e peça a Deus para arranjar um emprego melhor.

– Claro, mas quero que você também peça por mim. Fale com algum santo aí. Para qual você vai pedir? São Francisco?

– Não. Não costumo acionar São Francisco para situações de emprego. Sabe quem me atende muito quando se trata desse assunto?

– Quem? – Ela ficou curiosa.

– Santo Antônio de Pádua.

– Detesto esse homem! Passei um tempão da minha vida pedindo um marido a ele, coisa que nunca providenciou. Só aparecem homens loucos! Tenho vontade de quebrar as imagens de Santo Antônio todas as vezes que as vejo!

Diante de tanta raiva, comecei a rir.

– Não sei quem lhe ensinou que Santo Antônio arruma marido para os outros. Conversei com ele algumas vezes, mas ele nunca disse que tinha essa especialidade. Aliás, nunca conheci ninguém que tenha casado pela intercessão de Santo Antônio!

– Pois é. Até agora minhas amigas estão esperando que Santo Antônio arrume um marido para elas. Parece que o sujeito não gosta da gente.

– Mas para arrumar emprego ele é campeão. Lá no grupo de oração costuma dar muito certo: já inseriu um monte de gente no mercado.

Na mesma noite, decidi chamar Santo Antônio e entregar pessoalmente o pedido de A.

– Querido Santo Antônio, minha amiga A. está precisando muito de um novo emprego. É uma pessoa de coração bom: sempre pensa nas coisas de Deus e pauta sua vida pelo que é ensinado na Bíblia. Parece que não vai muito com a sua cara, mas é por ignorância! Posso dizer a ela que você vai providenciar o tal emprego?

– Pode, sim. Ela vai receber o chamado para trabalhar em uma grande empresa até o final deste mês – respondeu ele telepaticamente.

– Posso garantir que ela estará empregada até 31 de agosto? – insisti.

– Sim – concluiu ele.

No dia 30 de agosto, A. me ligou:

– Acho que uma das empresas gostou mesmo de mim. Querem que eu vá amanhã lá para resolver de vez a situação, levando meus documentos. Parece que Santo Antônio de fato resolveu a questão.

– Eu falei para você que ele era um santo extraordinário. O problema são as crendices populares: atribuem coisas a ele que nunca fez. Pelo que sei, tem fama de casamenteiro porque, em sua época, reconciliou casais em litígio.

– Pedro, quero agradecer muito a Santo Antônio. Ele gosta de crianças e animais, não é? Só pode, pois é franciscano!

– Sim, gosta muito. Por quê?

– Detesto ser mal-agradecida. Sei que foi uma graça que recebi. Amanhã mesmo vou fazer minhas doações. Acho que Santo Antônio vai ficar satisfeito comigo.

– Não só ele, mas, acima de tudo, Deus. O coração do nosso Pai se enche de alegria quando os filhos reconhecem sua mão generosa!

Uma história que prova quanto o mundo espiritual gosta do coração agradecido é a de um rapaz de Manaus, A. Na infância, ele recebera um terrível diagnóstico: tinha uma doença cardíaca muito grave. Os médicos informaram aos familiares que sua expectativa de vida era de 25 anos e a solução seria uma intervenção cirúrgica muito delicada, com grande possibilidade de resultar em morte.

Por causa do risco, a família de A. adiava a decisão de encarar a nefasta operação. No segundo semestre de 2012, estive em Manaus para rezar o terço em uma igreja e o rapaz, as irmãs e a mãe compareceram ao encontro religioso.

Quando a oração se aproximou do final, Nossa Senhora me falou:

– Diga ao A. que ele deve fazer a cirurgia, pois ficará curado. Inclusive estará de volta à casa antes do previsto pelos médicos.

Obedecendo à determinação de Maria, anunciei a mensagem para todos os presentes. Ao término da reunião, a mãe de A. veio me contar que estava esperançosa e que iriam até São Paulo fazer os exames e a operação. Comentei que acreditava no êxito do procedimento, pois Nossa Senhora nunca promete algo que não cumprirá.

A cirurgia foi realizada com sucesso. O próximo desafio seria a recuperação do paciente, que, pelos prognósticos, ficaria um bom tempo no CTI do Hospital Sírio-Libanês. Ao contrário do esperado, A. teve uma melhora espetacular, a ponto de, em um mês, estar pronto para voltar a Manaus. O calvário que acompanhara tantos anos a família havia se encerrado de forma vitoriosa.

Quando voltou para casa, A., feliz, resolveu agradecer a Deus e Nossa Senhora com uma oração na varanda. O sol estava à sua frente, em um dia belíssimo. No decorrer de sua conversa com a Mãe do Salvador, ele percebeu que o sol se moveu e mudou de cor, espantando-o.

Como a família do rapaz era muito mariana, ele reconheceu que aquele fenômeno místico era o chamado "milagre do sol", que, segundo alguns relatos, às vezes se dá nos santuários dedicados a Maria: trata-se de um sinal da Virgem.* A. se emocionou, pois, enquanto agradecia pelo

* Para aqueles que nunca ouviram falar, basta buscar no YouTube por "milagre do sol" ou "sun miracle": há vídeos impressionantes!

sucesso de sua cirurgia, a Mãe de Jesus lhe fizera um grande afago!

Por menor que seja a graça alcançada, nunca devemos esquecer que, por educação, todo presente deve ser agradecido com amor. Assim, Deus nos dará cada vez mais, em porções maiores, porque verifica que sabemos apreciar suas benfeitorias.

10. Rezar em qualquer lugar

Como os leitores devem imaginar, há lugares que propiciam maior concentração para a oração. Particularmente, gosto dos que são construídos para serem templos silenciosos – locais de meditação onde posso respirar com calma, sem ouvir barulhos, e entregar com intensidade meus pedidos a Deus. As pessoas que vão à Igreja da Imaculada Conceição da Gávea, no Rio de Janeiro, e ao Santuário de Nossa Senhora Mãe dos Aflitos, em São Paulo, sabem do que estou falando.

Muitas vezes, mora-se longe de um local propício. O que fazer? Não se perturbe, pois Jesus ensinou o seguinte: "Quando você rezar, entre no seu quarto, feche a porta e reze ao seu Pai ocultamente; e o seu Pai, que vê o escondido, recompensará você" (Mateus 6, 6).

A primeira dica e a mais fácil de ser realizada é ter um cômodo da própria casa onde se possa ter algum sossego para fazer as orações. Procure verificar em qual é possível ter um momento de solidão para conversar profundamente com Deus, durante o dia ou à noite.

Há pessoas que têm esse lugarzinho, mas se queixam de que a rotina acaba por tirar a concentração. Perguntam o que fazer para revitalizar sua oração no local preparado ou mesmo encontrar outro. Mais uma vez, um exemplo dado por nosso Mestre se aplica ao caso. A Bíblia conta que, após algumas jornadas evangelizadoras, Ele buscava a paz de um retiro: "Ao raiar do dia, Jesus saiu e foi para um lugar deserto. As multidões o procuravam, e, indo até Ele, não queriam deixá-lo ir embora" (Lucas 4, 42).

É recomendável que as pessoas separem ao longo do ano um período para fugir da rotina, com o objetivo de praticar uma meditação mais profunda sobre as coisas de Deus. Para tanto, devem deixar suas casas em busca de lugares espirituais onde possam intensificar o exercício da oração.

Alguns devem estar pensando: "Pedro, eu não tenho dinheiro para viajar e ir a um santuário ou para sair de casa e passar um fim de semana rezando." Tudo bem, cada um faz seu retiro de acordo com a capacidade financeira. Você pode, por exemplo, tirar um sábado para ir a um lugar silencioso, uma igrejinha que fique aberta. Até mesmo um parque ou jardim próximo de casa, onde ninguém vá perturbar sua concentração. O ideal é separar bons livros religiosos, rezar o rosário, ir à missa e retornar para casa.

O objetivo é quebrar a rotina, criando uma atmosfera de meditação. Procure obter o máximo desse momento, buscando o conhecimento espiritual e a intimidade com o Criador. Na fé católica, é comum existirem comunidades de oração que recebem pessoas para retiros durante fins de semana e feriados, oferecem alojamento e alimentação ou ainda permitem que acampem em barracas. É uma solução barata e eficaz.

VI

Sacrifício

Além da oração, há pessoas que gostam de oferecer sacrifícios a Deus para que suas súplicas sejam mais eficazes. O nome assusta um pouco, mas tenham calma: não se trata de matar animais ou gente, algo abominável. Do que estou falando, então?

Refiro-me a um grande esforço pessoal em prol da causa para a qual se está orando. Qual a medida desse sacrifício? Depende de cada um! Há pessoas que suportam mais o sofrimento, a dor, as privações e a penúria e são mais generosas do que outras. Uma coisa é certa: para que a ação seja válida aos olhos do Pai, deve ser de impacto para nós – não podemos ter conforto enquanto estamos nos sacrificando.

O Evangelho de São Marcos (capítulo 10, versículos 17 a 22) narra a história de um jovem de posses que encontra Jesus e quer saber do Mestre o que fazer para ganhar a vida eterna. O Senhor lhe pergunta se costuma obedecer aos mandamentos e ele responde afirmativamente. Diante disso, o Rabi percebe que o rapaz tem bom potencial espiritual, capaz de lhe proporcionar um lugar na Morada Celeste e resolve, para sedimentar de vez seu caminho rumo ao Pai, propor-lhe um sacrifício.

Olhando o jovem nos olhos, Jesus diz: "Falta só uma coisa para você fazer: vá, venda tudo, dê o dinheiro aos pobres e você terá um tesouro no céu. Depois venha e siga-me." A Bíblia menciona que o homem ficou triste, abatido, e foi embora porque tinha muitas propriedades. Conclusão: perdeu uma oportunidade única de ganhar um presente eterno.

Nota-se que, para aquele jovem (a quem o evangelista não dá um nome, pois o fato poderia se passar com qualquer um de nós), cumprir os mandamentos da lei judaica não era um sacrifício. Como Jesus notou que o rapaz tinha um enorme apreço por seus bens materiais, sugeriu-lhe um desafio. Imediatamente, o homem declinou do convite, pois não queria fazer um sacrifício real.

Situação oposta é narrada no mesmo Evangelho (capítulo 12, versículos 41 a 44): "Jesus estava sentado diante do Tesouro do Templo e olhava a multidão que depositava moedas no Tesouro. Muitos ricos depositavam muito dinheiro. Então, chegou uma viúva pobre e depositou duas pequenas moedas, que valiam poucos centavos."

Você deve imaginar que a viúva não realizou nenhum sacrifício, pois a quantia depositada era ínfima. Mas, chamando os discípulos para perto de si, o Mestre afirmou: "Essa viúva pobre depositou mais do que todos os outros que depositaram moedas no Tesouro. Porque todos depositaram do que estava sobrando para eles. Mas a viúva, na sua pobreza, depositou tudo o que tinha, tudo o que possuía para viver." Percebe-se que, para o Senhor, o sacrifício é medido de acordo com a capacidade de cada um.

Vejam que sacrifício espetacular realizou a mulher! Não sabemos o que ela queria de Deus, pois o evangelista não nos conta. Mas sua atitude foi tão intensa que de pronto chamou a atenção de Deus. Foi algo tão sublime que Jesus aproveitou o ato daquela senhora para oferecer um belo ensinamento a seus discípulos. Nossas "sobras e restos" não servem como sacrifício para o Pai.

Sabendo dessa verdade, em junho de 1999, me vali da fórmula **ação + sacrifício + oração**. Era bem mais jovem, e estava insatisfeito com o lugar onde trabalhava. Decidi que faria concursos públicos, sem obter apoio ou compreensão de meus pais. Estudava o máximo que podia e tinha uma boa disciplina de oração, mas notei que aquilo não era suficiente.

Iniciava meus dias com uma missa. Ao término, rezava o terço, meditava sobre temas dos Evangelhos e fazia exercícios físicos. Só então ia trabalhar. Essa rotina era quebrada apenas nos fins de semana, quando conseguia estudar cerca de nove horas cada dia e orava à noite, indo à missa. Ao longo dessa fase tumultuada, dormia sempre muito mal.

Apesar de todo o esforço, minha fé, por vezes, ficou abalada. A pressão da família era enorme, o que dificultava, e muito, minha tarefa. Na minha cabeça, a combinação da ação (meu empenho com os estudos) com a oração (missas e o rosário) precisava ser incrementada com o sacrifício. Depois de muito meditar, concluí que ele deveria ser a peregrinação a um santuário onde Nossa Senhora tivesse feito uma aparição reconhecida como eficaz pelo povo de Deus, de preferência fora do país. O empecilho era que não tinha dinheiro para praticamente nada, muito menos para arcar com uma viagem ao exterior.

Nesse período, minha mãe, me comunicou que faria uma peregrinação com meu irmão ao santuário de Medjugorje, na Bósnia, onde Nossa Senhora, a Rainha da Paz, tem aparecido a videntes desde a década de 1980. A viagem se iniciaria em Roma, passando por locais santos da Itália. Eu queria acompanhá-los, mas não tinha um centavo.

Uma noite, com uma insônia terrível, decidi perguntar a meu anjo se era de fato uma boa ideia o meu projeto de sacrifício.

Desejava, também, entender se os planos provinham da minha intuição conectada a Deus ou se eram puramente humanos – uma fuga da "guerra" que estava vivendo. Não gostaria de tomar atitudes covardes em um momento como aquele, pois o Pai Celestial me observava.

– Sei que humanamente não tenho a menor condição de concretizar o que idealizei. Gostaria de ir a Medjugorje com minha família e você sabe que não tenho dinheiro.

Esperei em vão pela réplica. Irritado com sua atitude silenciosa, reclamei:

– Tudo bem. Parece que você não vai me dar uma resposta direta. Toda vez que uma grande crise se apresenta na minha vida, você fica me observando com jeito severo. Para variar, não me fala nada...

Ele continuou mudo e não se moveu.

– Só quero um pequeno favor: saber se devo continuar agindo da forma como tenho feito. Mas se tudo for um sonho meu, peço que me mostre alguma coisa, dê um sinal concreto, para que eu possa programar meus próximos passos.

O anjo permaneceu imóvel à minha frente, com a face inexpressiva e lábios cerrados.

Ainda fiquei contemplando a beleza do anjo por mais um minuto, chateado pela falta de diálogo. Como nada acontecia e meu sono não chegava, decidi ir até a sala para estudar um pouco as matérias relacionadas ao concurso público que queria prestar.

Algumas horas depois, já cansado, olhei para a página do livro que estava lendo e constatei que suas letras tinham sumido. O branco das folhas cresceu diante dos meus olhos e tive uma visão: estava entregando o passaporte a um policial federal no setor de embarque do Aeroporto Internacional do Rio de Janeiro.

Fiquei confuso. O que teria provocado aquilo? Esfreguei os olhos e os abri novamente. As letras retornaram. O livro estava lá, bem na minha frente, mas percebi I. em pé atrás de mim, por cima do meu ombro direito. Antes que ele partisse, virei-me para encará-lo e notei um leve sorriso. Uma luz esmeralda brotava de seu peito e preenchia toda a sala. Meu corpo logo relaxou e percebi que estava exausto. Voltei para o quarto com a sensação de vitória e dormi no mesmo instante em que encostei na cama.

Ao acordar pela manhã, havia perdido a hora: não dava mais tempo de ir à missa nem de realizar exercícios físicos. Ouvi minha mãe conversando de forma ríspida com meu irmão na cozinha. Fui até lá para ver o que se passava.

– Estou com alguns problemas na universidade e infelizmente não vou poder viajar com os peregrinos – contou meu irmão, triste.

O grupo partiria para a viagem europeia em dois dias.

– Pedro, faça sua mala: você vai no lugar dele – mandou minha mãe.

– Como? – perguntei, sem entender.

– A viagem já está paga. Para não perder tudo, você vai no lugar dele. Vou ligar agora para o R. na agência de viagens.

Em silêncio, saí da cozinha.

Depois de alguns minutos pensando na oferta, fui até o quarto de minha mãe e falei:

– Não vai dar. Não tenho um centavo no bolso. Como vou passar todos esses dias na Europa?

Ela ficou furiosa:

– Nossa Senhora quer que você vá. Não tem fé? Arrume a mala. Já falei com o responsável pela excursão e ele disse que não tem problema. Já estava providenciando tudo; não vai lhe faltar nada. Se Ela quer sua presença por lá, vai dar um jeito. Do resto, cuido eu! Depois de amanhã vamos embora.

Como não tinha nada a perder e meu passaporte estava em dia, preparei a mala. Liguei para minha namorada (hoje minha esposa) e lhe comuniquei o fato. Ela achou que me faria muito bem a peregrinação, pois estava preocupada com meu estado de nervos, e comentou que tudo se tratava de uma resposta da Virgem Maria às minhas orações diárias e a todo o esforço.

No dia seguinte, a cena que visualizara naquela noite de insônia se concretizou e reconheci o policial federal que me pedia o passaporte na área de embarque do aeroporto. Era como se um filme se tornasse realidade. Quando o avião decolou, I. apareceu ao meu lado, em pé no corredor.

– Quero lhe agradecer, I., pelo presente. Se você não tivesse interferido, nada disto estaria acontecendo. Agora estou confiante de que vou receber a graça de que tanto preciso.

Compreendi que, desde o início, ele apoiava meu esforço, apesar do silêncio. Calculei que estava impedido de me falar o que eu gostaria de ouvir, sob pena de estragar os planos de Deus para mim.

O anjo somente estendeu a mão direita aberta com a palma para cima em minha direção.

– O que você está querendo dizer?

– Agora é o momento de subir a montanha, sacrificando-se ao máximo, para entregar seu pedido a Deus, com a intercessão da Rainha dos Anjos. Se quiser, pode colocá-lo na minha mão; guardarei para você até o momento indicado. Tenha fé.

Nessa excursão, vivi experiências místicas maravilhosas. O leitor deve estar curioso para saber qual foi o resultado da "saga" endossada por meu anjo da guarda. Dias depois, quando cheguei à Bósnia, percebi que a pequena cidade de Medjugorje ficava em um vale, entre altas montanhas.

Consultei I. sobre o melhor dia para o sacrifício. Ele escolheu um dia de sol forte (era verão na Europa), ao meio-dia, para que eu subisse uma das colinas de piso pedregoso e pontiagudo sem sapatos e em oração. Convoquei-o a me acompanhar e entreguei mais uma vez meu pedido.

Antes de descrever como tudo se passou, quero dar um aviso sério a vocês: não repitam o que eu fiz! Saibam que eu era bastante jovem, gozando de excelente saúde e em boa forma física. Como já escrevi logo no início deste capítulo, é fundamental que cada um reconheça seus limites. O que é sacrifício para uma pessoa pode não ser para outra. O que deve reger esta matéria é o bom senso. Dito isso, prossigo com a narrativa.

A satisfação no rosto do ser angélico era indisfarçável. Senti que o sacrifício por vir seria bastante agradável a Deus. Havia muita gente subindo aquela montanha, cada um com sua dor e seu pedido. Minha concentração naquilo que estava a buscar era tão grande que, a partir de certo ponto, não notava mais a presença de ninguém.

Depois de vinte minutos de subida, meus pés começaram a ficar feridos. As pedras e a areia, terrivelmente quentes, queimavam os machucados abertos. Pensei em desistir ou pelo menos colocar os tênis para seguir até o final. Quando os pus no chão, I. se intrometeu:

– Você sabe que Deus está observando seu sacrifício. Ele não terminou aqui; há muito ainda que subir. Demonstre ao Pai o quanto você quer vencer. Lembre-se de que ninguém pode passar este momento por você. Estou aqui ao seu lado para apoiá-lo. Não desista!

Aquelas palavras ecoaram como um trovão em meu cérebro. Depois das situações por que tinha passado, não poderia jogar tudo fora devido aos cortes nos pés. Se o sacrifício estava sendo bem-aceito, o mais inteligente era ir até o fim. Amarrei os cadarços dos tênis uns nos outros e os pendurei sobre o ombro esquerdo. Respirei fundo, olhei para cima, encarando o sol intenso, e pedi que Deus me desculpasse aquele pequeno momento de fraqueza.

A dor não passou (muito pelo contrário!), mas meu espírito se fortaleceu e parecia arrastar meu corpo com decisão. Como caminhava com dificuldade, várias pessoas passavam por mim com passos ligeiros. Quando faltava aproximadamente um terço do caminho, senti uma pequena mão se apoiar em meu ombro, trazendo um peso ainda maior para meus pés feridos.

– Meu filho, que bom que o encontrei. Estou muito cansada, vou me apoiando sobre seu ombro para chegar ao final. – Era minha mãe, esbaforida e asmática, devido às condições inóspitas da subida do monte.

Logo pensei: "Deus, não pode ser! Estou no meu limite e o Senhor ainda me manda mais um fardo para carregar? Não vê o estado em que estão meus pés? Estou cheio de dor, levando meu próprio peso, e o Senhor quer que eu coloque mais quilos sobre mim?"

– Mãe, será que não dá para você andar sozinha? Olhe os meus pés como já estão...

Tentei, com jeito, ver se ela desistia de me usar como bengala, apontando para baixo.

– Garoto, não fale assim com sua mãe. Não vê que estou tendo uma crise de asma? Deixe de frescura. Depois os pés ficam bons. Você é jovem, tem obrigação de me carregar até o fim. E ande mais devagar, para que eu consiga respirar melhor. Está muito quente!

Ela não se compadeceu da minha situação. E o pior: pisando aquele solo quente e pontiagudo devagar, a dor aumentava.

Só me restava seguir até o topo. Deus realmente conseguira me surpreender. Não imaginei que o Criador fosse interferir naquilo que já estava bastante complicado. Logo no início, com o solado dos pés ferido, cheguei a pensar que havia exagerado na dose. Se meu anjo não tivesse me apoiado, teria desistido.

Depois, já adaptado à dor, na medida do possível, e convencido de que conseguiria atingir o cume, o Pai Celestial me enviou mais um fardo! Na concepção dele, o sacrifício ainda era leve. Mandou-me, então, algo para que a reta final fosse apoteótica e heroica. De qualquer forma, cumpri o que o mundo espiritual esperava de mim. O resultado veio após alguns meses: fui aprovado no concurso que almejava.

O leitor também pode preferir um sacrifício mais convencional, como o jejum ou a abstinência. Não pretendo explicar como se dá cada um deles em detalhes, mas o jejum reduz os tipos e a quantidade de alimentos ingeridos (não se deve radicalizar nessa prática) e a abstinência significa privação de algo em que a pessoa encontra prazer, como, por exemplo, deixar de comer doces ou beber refrigerantes por um mês, não assistir a novelas durante seis meses.

Os sacrifícios, portanto, são ferramentas muito produtivas. São especialmente bem-vindos quando o assunto é incrementar o poder da oração pessoal. Mas é preciso sempre fazê-los com sabedoria, discernimento, bom senso e equilíbrio e isso se aplica a todos eles, inclusive o jejum e a abstinência. Não me agradam sacrifícios que causam danos ao corpo ou à mente; Deus não tem o mau gosto de querer ver os filhos se mutilando. Fuja dos radicalismos e excessos e cultive a vida espiritual de forma sadia.

VII

Encerramento

Ao longo deste livro, procurei responder a diversas perguntas que me foram feitas, sobre minha infância; minha relação com a família e os amigos; a decisão de levar meu dom a público; a criação do meu grupo do terço; o motivo para escrever sobre minhas experiências místicas; minha prática de oração e exercício da espiritualidade no dia a dia.

Tentei fazer um apanhado de minha história, mas também passar instruções que considero básicas para se ter uma vida espiritual eficaz, alicerces sobre os quais cada um poderá construir e moldar o próprio espírito, cultivando-o com carinho para fazê-lo crescer, alimentando-se na fé sempre crescente.

Agora, para finalizar, colocarei algumas palavras a respeito de minha missão no tempo presente, pois a forma com que a encaro hoje, em comparação ao princípio, é diferente. Quando o grupo do terço obteve permissão para ser realizado na nave central da Igreja de Santa Mônica, há quase vinte anos, o mundo era mais simples para mim. Concluí que o impacto de tal mudança tinha uma vertente positiva e uma negativa, ambas com forte influência no planejamento de minha caminhada.

No passado, ser o "rapaz do terço que tem visões do mundo espiritual" não era algo tão pesado quanto atualmente. Apesar de meu papel na condução da devoção não ter mudado, antes eu tinha a incumbência de transmitir as mensagens e rezar para e por mais ou menos quinhentas pessoas; agora, em reuniões como as de São Paulo, sou acompanhado por cerca de dez mil fiéis! Como isso me afeta?

Sendo o instrumento de ligação entre o mundo espiritual e o povo que comparece à oração, sou objeto de uma grande carga de energia boa e ruim. Sinto-me como um filtro humano em um mar energético, absorvendo as graças derramadas e o sofrimento e a angústia do povo presente.

O resultado é um enorme impacto no meu corpo: saio extenuado das reuniões. Como costumo dizer à minha mulher, parece que corri uma maratona! A cabeça fica um pouco oca. A coluna e todos os músculos do corpo doem, a intensidade variando de acordo com cada evento. Esse sofrimento permanece até ao menos o dia seguinte. É algo desagradável...

Não que isso seja um fato tão relevante a ponto de me convencer a desistir do que faço. Quero cumprir minha tarefa com louvor, mas é algo que devo ponderar: saber quantas reuniões dessas posso suportar ao longo do ano sem prejudicar muito minha saúde ou minha família. Trata-se de um cálculo delicado.

O que quero dizer é que o peso dos encontros, do ponto de vista físico, mudou e, tenho certeza, vai continuar mudando, já que há sempre mais gente chegando de todos os lados! Hoje em dia, dirigir o terço é muito mais penoso – humanamente falando, já que, espiritualmente, acredito que esteja ganhando mais créditos do Criador.

Outro aspecto que também se alterou e continua em mutação foi o público do terço. Bem no começo, quando a oração se dava no salão paroquial da Igreja de Santa Mônica, a maioria absoluta era de senhoras de idade. Logo depois, alguns homens e mulheres de meia-idade se juntaram a nós. Com minha exposição nos meios de comunicação a partir de 2007, os jovens, que, até então, eram poucos, começaram a surgir em abundância. Apareceram também as crianças, trazidas pelos pais. Fiquei muito contente, pois se tornou evidente que não há idade nem sexo para se buscar a Deus.

Com o acréscimo do número de participantes, houve, consequentemente, aumento dos testemunhos de curas e mensagens concretizadas. Assim, cresceu a frequência de doentes à procura de uma solução para seus problemas. Esta é uma parte muito dura da missão, de cortar o coração: ver tantas pessoas padecendo de enfermidades graves.

Antes de prosseguir com o relato de minhas dificuldades atuais, cabe fazer um esclarecimento fundamental: não sou eu quem cura os doentes. Isso é obra exclusiva de Deus. Ele é o autor dos milagres. Sou, tão somente, o canal.

Apesar de ser para mim uma grande lição de vida ver os doentes, alguns em estado terminal, rezando, firmes na fé, é também terrível atestar seu declínio físico. Minha oração é sempre pela cura de quem me procura, mas sei que o sucesso não depende só de mim nem da fé do doente. Deus é quem decide quem vai sair vencedor desse combate violento.

Daí decorre mais uma parte dolorosa da minha missão: o lado emocional. Não há como ficar indiferente a tanta dor. Como intercessor, passo a conhecer a história dos que vêm conversar comigo, bem como suas lutas. Se um melhora, tenho motivos para comemorar. Por outro lado, se os pleitos de cura fracassam, surge um sentimento horrível em mim! Isso piora muito quando se trata de uma criança...

As pessoas chegam para rezar com lágrimas nos olhos, cheias de esperança na cura, mas, muitas vezes, são derrotadas pela doença. Esse quadro desagradável faz com que eu também me sinta perdedor. Trata-se de mais um mistério de nosso Pai Celeste. Portanto, a missão também exerce forte impacto sobre meus sentimentos.

Todos os milagres obtidos pelos que frequentam os encontros do terço – não apenas as curas, mas igualmente a solução para problemas financeiros, matrimoniais e familiares, libertação das drogas e do álcool, entre tantos outros – são considerados por mim vitórias pessoais. Funcionam como um grande incentivo para que eu continue dando passos no caminho da espiritualidade, servindo a Deus e ao próximo.

Tenho, contudo, absoluta convicção de que não sou melhor do que ninguém aos olhos do Pai. Apenas procuro fazer o que penso que Ele espera de mim. Deus dá talentos ao homem para que ele os use em benefício dos demais. Como me dotou de dons místicos, eu os coloco à disposição das pessoas gratuitamente. Sou mais um trabalhador na obra do Senhor e sou tratado por Ele dessa forma. Qualquer outra pessoa que sirva a Deus de acordo com suas habilidades, com empenho e honestidade, tem o mesmo valor que eu diante dos olhos do Senhor.

Ora, é preciso que haja mesmo uma diversidade de servos e de talentos para que o Pai complete sua obra no mundo. Pense bem: não faria sentido ter em uma construção apenas engenheiros ou pedreiros. Há que se ter uma gama de empregados com especialidades diferentes. Do contrário, o prédio não subiria! Assim, não mereço nenhum tipo de destaque ou condecoração pela missão que executo. Sou apenas um homem esforçado, como tantos outros, que sabe que Deus é justo e cobra a cada um segundo sua capacidade.

Por ser um "administrador da obra de Deus", e não o proprietário dela, foi que nunca me preocupei em dar respostas aos que não acreditam em fenômenos místicos. Há pessoas que, mesmo tendo recebido um milagre (e me refiro, por exemplo, a alguma graça que não encontra explicações em nossa medicina), preferem negá-lo! Se não acreditam em mim, tudo bem! Não estou aqui para convencer ninguém; essa nunca foi minha intenção. Aprendi, ao longo dos anos, que, por mais que se prove uma determinada situação a alguém, a pessoa continuará acreditando só no que quer.

De qualquer forma, quando me perguntam se é verdade que há curas no grupo do terço ou, por curiosidade, indagam sobre as mensagens que transmito, fico muito à vontade para convidá-los a ouvir e ver com os próprios olhos o que acontece em nossas orações. Prefiro que cada um julgue pessoalmente o que faço.

Termino agradecendo a todos aqueles que leram este livro, especialmente os que, de coração aberto, colocarem em prática o que aqui proponho.

Que Deus nos abençoe!

CONHEÇA OS CLÁSSICOS DA EDITORA SEXTANTE

1.000 lugares para conhecer antes de morrer, de Patricia Schultz

A História – A Bíblia contada como uma só história do começo ao fim, de The Zondervan Corporation

A última grande lição, de Mitch Albom

Conversando com os espíritos e *Espíritos entre nós*, de James Van Praagh

Desvendando os segredos da linguagem corporal e *Por que os homens fazem sexo e as mulheres fazem amor?*, de Allan e Barbara Pease

Enquanto o amor não vem, de Iyanla Vanzant

Faça o que tem de ser feito, de Bob Nelson

Fora de série – Outliers, de Malcolm Gladwell

Jesus, o maior psicólogo que já existiu, de Mark W. Baker

Mantenha o seu cérebro vivo, de Laurence Katz e Manning Rubin

Mil dias em Veneza, de Marlena de Blasi

Muitas vidas, muitos mestres, de Brian Weiss

Não tenha medo de ser chefe, de Bruce Tulgan

Nunca desista de seus sonhos e *Pais brilhantes, professores fascinantes*, de Augusto Cury

O monge e o executivo, de James C. Hunter

O poder do Agora, de Eckhart Tolle

O que toda mulher inteligente deve saber, de Steven Carter e Julia Sokol

Os segredos da mente milionária, de T. Harv Eker

Por que os homens amam as mulheres poderosas?, de Sherry Argov

Salomão, o homem mais rico que já existiu, de Steven K. Scott

Transformando suor em ouro, de Bernardinho

INFORMAÇÕES SOBRE A SEXTANTE

Para saber mais sobre os títulos e autores
da EDITORA SEXTANTE,
visite o site www.sextante.com.br
e curta as nossas redes sociais.
Além de informações sobre os próximos lançamentos,
você terá acesso a conteúdos exclusivos
e poderá participar de promoções e sorteios.

www.sextante.com.br

facebook.com/esextante

twitter.com/sextante

instagram.com/sextante

skoob.com.br/sextante

Se quiser receber informações por e-mail,
basta se cadastrar diretamente no nosso site
ou enviar uma mensagem para
atendimento@esextante.com.br

Editora Sextante
Rua Voluntários da Pátria, 45 / 1.404 – Botafogo
Rio de Janeiro – RJ – 22270-000 – Brasil
Telefone: (21) 2538-4100 – Fax: (21) 2286-9244
E-mail: atendimento@esextante.com.br